ゾルゲ事件史料集成

第3巻

加藤 哲郎 編集・解説／編集復刻版

太田耐造関係文書●「ゾルゲ事件」史料2

不二出版

凡　例

一、『ゾルゲ事件史料集成　太田耐造関係文書』は、太田耐造（一九〇三－五六）が保管し、国立国会図書館憲政資料室に寄贈された「太田耐造関係文書」のうち、ゾルゲ事件に関係する史料を編集し、全4回配本・全10巻として復刻、刊行するものである。

一、本集成は、ゾルゲ事件に直接関係する史料を「ゾルゲ事件」史料1・2、間接的ではあるが重要と判断された史料を「ゾルゲ事件」周辺史料として新たに分類・収録した。

全体の構成は次の通り。

第1回配本……「ゾルゲ事件」史料1（第1・2巻）／第2回配本……「ゾルゲ事件」史料2（第3～5巻）

第3回配本……「ゾルゲ事件」史料2（第6～8巻）／第4回配本……「ゾルゲ事件」周辺史料（第9・10巻）

一、史料は憲政資料室「太田耐造関係文書」記載の請求記号に依拠し、収録した。史料詳細は第1巻「収録史料一覧」に記載した。

一、原史料を忠実に復刻することに努め、紙幅の関係上、適宜拡大・縮小した。印刷不鮮明な箇所、伏字、書込み、原紙欠け等は原則としてそのままとした。欄外記載、付箋等がある場合、重複して収録した箇所もある。

一、編者・加藤哲郎による、ゾルゲ事件研究における本史料の意義と役割に関する解説を第1巻に収録した。

一、今日の視点から人権上、不適切な表現がある場合も、歴史的史料としての性格上、底本通りとした。

一、本集成刊行にあたっては、国立国会図書館憲政資料室にご協力いただきました。記して感謝申し上げます。

目次

※ 本巻収録の水野の調書では「水野成」となっているが、ここでは「水野茂」で統一した。
※［170］は調書ごとに番号（＊1～）を附した。

ゾルゲ事件史料集成　太田耐造関係文書　第3巻

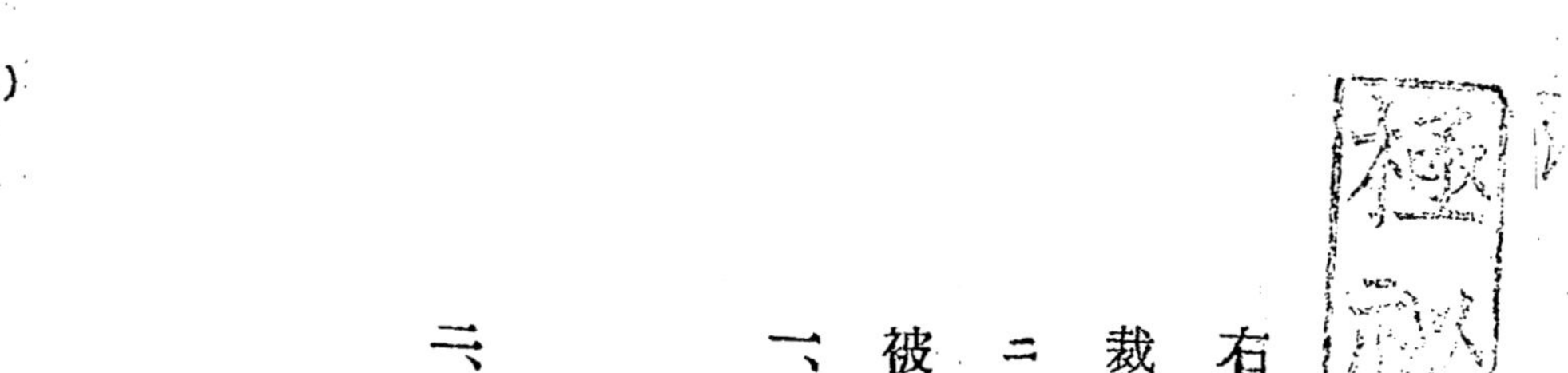

第二回被疑者訊問調書

被疑者　尾崎秀實

右者ニ對スル治安維持法、國防保安法違反被疑事件ニ付東京刑事地方裁判所検事玉澤光三郎命令ニ因リ昭和十六年十月二十六日目黒警察署ニ於テ司法警察官警部高橋與助ハ司法警察吏巡査井上繁一立會ノ上右被疑者ニ對シ訊問スル事左ノ如シ

一、問　被疑者ノ犯罪前歴ハ如何

答　私ハ夙ニ共産主義ヲ信奉シ共産主義運動ニ參加シテ來テ居リマシタガ未ダ一度モ検擧取調ヲ受ケタ事ハアリマセン

二、問　被疑者ノ共産主義信奉ノ過程竝其運動經歴ノ概要如何

答　私ハ東京帝國大學法學部政治學科在學當時カラ當時ノ學内左翼團体

新人會

ノ講演會ナドヲ聽キ、夫レニ關心ヲ持ツテ居リマシタノミナラ

ズ大學院ニ居ル頃ニハ當時同大學經濟學部助教授大森義太郎ノ
指導スル學内ノ

　ブハーリン研究會

ナドニモ參加シ理論ノ把握ニ努メマシタ
大正十四年三月大學ヲ卒ヘ更ニ一年間大學院ニ學ビ翌十五年五
月朝日新聞ニ入社シマシタガ入社後間モナクノ頃カラ清家敏住
ト共ニ朝日新聞社内デ

　スターリン著

　　レーニン主義ノ諸問題ノ研究會

ナドヲヤリ矢張リ其ノ頃清家敏住ノ勸誘デ

　草　野　源　吉

ナルペンネームデ

　日本勞働組合評議會關東出版勞働組合

東京支部新聞メンバー

トシテ加入シ朝日新聞ノオルグノ地位デ二回位其ノ會合ニ出席シタコトモアリマス

私ハ斯様ナ實踐ヲ通ジ其ノ他マルクス主義諸文獻ヲ繙讀シタル結果〝所謂三〟一五事件當時ニ於ケル昭和三年春頃ニハ遂ニ共産主義ヲ信奉スルニ至リマシテ爾來今日迄其ノ信念ヲ堅持シツヽモ表面ハ「リベラリスト」又ハ「フアシスト」デアルガ如キ態度デ僞装シ所謂二重生活ヲシテ今日ニ至ツテ居リマス

私ハ帝大在學當時カラ支那問題ニ關心ヲ持ツテ居リ大正十五年五月朝日新聞社ニ入社シテノ間モナイ頃

ヴイツト。ホーゲル著

「目覺めつゝある支那」

等ヲ閲讀スルニ及シデ之ニ感銘シ渡支ヲ希望シテ居リマシタガ夫レガ實現シテ昭和三年十一月朝日新聞社特派員トシテ渡支〝同七年上海事變勃發ノ直後迄上海ニ滯在シテ居リマシタ私ガ渡支シタ

當時ハ所謂支那國民革命ノ直後デアリマシテ、南京ニハ國民政府ガ樹立サレテ居リマシタガ、上海ニハ共産主義的潮流ガ横溢シテ居リマシタ、私ガ此ノ雰圍氣ノ裡ニ在ツテ支那問題ヲ中心ニ日、獨、英、露、支等ノ各種マルクス主義文獻ヲ繙讀シ益々共産主義ニ對スル信念ヲ深メマスト共ニ當時東亞同文書院ノ學生デアツタ

水野成
中西功
安齋庫治
加藤米太郎

等ト

ブハーリンノ
「史的唯物論」ノ研究會

ヲ持チ、私ガ其ノチユータートナツテ居リマシタ、其ノ中夫等東亞同文書院ノ左翼學生等ニ對シ、中國共産青年同盟ヤ反帝同盟ナ

ドノ手ガ延ビテ來ル樣ニナリ、私モ夫等ノ組織ノ指導者デアル

陳又ハ蔣コト

揚　柳青

蘇　某

熊　得山

其他現在ハ延安ノ馬烈學院（マルクスレーニン學校）ノ副院長ヲシテ居ル

王　學文

成　仿吾

陳　翰笙

等何レモ、中國共産黨（「中共」ト略シテ申上ゲマス）關係者乃至左翼學者左翼記者ナドト交渉ヲ持ツ樣ニナリマシタ

其ノ中、昭和四年末頃カ同五年初メ頃前申上ゲマシタ

陳　翰笙

カラデアツタカ、當時
上海蘇洲河通
ニ在ツタ左翼本屋ノ女主人デアリ、「モツプル」ナドニ關係ガアツタト云ハレル
ワイテ・マリヤー女史
カラデアツタカ今記憶ガハツキリシテ居リマセンガ兎ニ角其ノ二人ノ中ノ一人カラ當時ハ
フランク・フルト新聞
ノ上海特派員デアリ現在ハ「中共」ノ幹部デアル、毛澤東ヤ朱德等ニ從ツテ行動ヲ共ニシテ居ル
アグネス・スメドレー女史
ヲ紹介サレ
上海南京路ノ角ニアル
パレスホテルノロビー

デ始メテ會ヒ、其ノ後モ引續キ交際シテ居リ、同女史ニ對シ、私ガ前申上ゲタ樣ナ關係デ色々蒐集スルコトヲ得タ國民政府關係ノ情報ヤ私ノ知ル限リノ日本ノ情勢ナドヲ傳ヘテ居リマシタ、其ノ中昭和五年ノ末頃ト記憶シテ居リ確カ東亞同文書院ノ左翼學生ノ誰カラカデアッタト思ヒマスガ

コミンテルンノメンバー

デアッタ

鬼頭銀一

(鬼頭ハ當時私ニハ安南經由デアメリカカラ渡支シタト云ッテ居リマシタカラ勿論アメリカ共産黨ニモ關係ガアッタモノト思ヒマス)

ヲ紹介サレ、聽テ其ノ間モナクノ頃鬼頭カラアメリカ人デジヨン

ト云フ良イ人ガアルカラ逢ッテ見ナイカ

ト云フ事ヲ勸メラレマシタガ、私ハ萬一ニモ鬼頭ガスパイデデモ

アツテハ危險ダト思ヒマシタノデ早速前申上ゲマシタ
　スメドレー女史
ヲ訪問、其ノ鬼頭ニアメリカ人デ「ジヨン」ト云フ良イ人ニ會ハナイカト云ハレタガト云フコトヲ相談シマスト同女史ハ其ノ「ジヨン」ナル人物ヲ既ニ知ツテ居リ、非常ニ緊張シテ
　誰レニモ其ノコトヲ云ツテ居ナイカ
ト申シマスノデ、誰ニモ未ダ話シテ居ナイト答ヘマスト
同女史ハ私ニ
　「其ノ人ハ非常ニ優レタ人ダカラ」
ト云フコトデアリマシタカラ私モ安心シテ其ノ後間モナク日時ヲ
定メテ鬼頭カラ
　上海南京路
所在ノ支那料理店
冠　生　園

デ其ノ
「ジヨン」ナル外人
ヲ紹介サレ
「ジヨン」カラ
一、日本ノ新聞記者トシテ集メ得ル限リノ支那ノ内部情勢
二、日本ノ對支政策ノ現地ニ於ケル摘用
等ニ就テ知ラシテ貰ヒ度イト云フコトヲ命ゼラレマシタ
之ガ私ガ「ジヨン」カラ命令サレタ最初ノ任務デアリマシタ
「ジヨン」ガ
「ゾルゲ」
デアルト云フコトハ後ニ至ツテ判リマシタ、ジヨンハ上海ニ居ル
頃ニハ、各國ノ共産黨カラ猛烈ナ國民政府ニ對スル抗議運動ガ効
ヲ奏シテ遂ニ釋放サレタ
モツブル代表

ルエツグ（ヌーラン）
ノ救援運動ノ際ニモ盛ンニ活動シテ居ツタ様デアリマシタ
私ガ上海在住中
「中　共」
ヤ
「モツプル」
「反　帝」
等ノ為ノ活動デ最モ主ナルモノハ
中共ノ駐滬政治顧問團關係活動
ト
資　金　活　動
トデアリマス
先ヅ其ノ資金活動ニ就テ申上ゲマスガ私ガ前ニ名前ヲ出シマシタ
陳又ハ蔣コト
揚　柳　青

カラ資金活動ヲ頼マレタノハ昭和五年末頃カ同六年初メ頃デアリ、當時揚ハ「中共」ノメンバーデアリ「反帝」ノ地區責任者デアリマシタ、私ノ此ノ資金活動ハ其ノ頃カラ昭和七年二月皈國スル迄繼續シテ居リ、揚ノ要求ハ廣ク資金綱ヲ作ルコトニアリマシタガ、私ハ實際ハ資金綱ノ獲得ハセズ、自分自身ノ金ノ中カラ

「中共」乃至「反帝」ノ活動資金

トシテ

毎月二十元位

ヲ揚ヲ通ジテ提供シテ居リ尚其ノ外ニ前申上ゲタ通リノ組織ノ一員デアル揚ノ活動資金トシテ

毎月二十元乃至三十元

ヲ揚ニ提供シテ居リマシタ

其ノ頃邦貨一圓ハ二元乃至二、四八元位デアリマシタ、次ハ

「中共駐滬政治顧問團關係活動」

テアリマスガ、私カ其ノ活動ニ參加スル樣ニナリマシタノハ昭和
六年秋頃カラデ、當時
チャニユース・ウォーカース・コレスポンデンス
（中國勞働通信）
上海代表デ
「中共」ノ相等ノ地位ニ居ツタト思ハレル
張　某（本名ハワカリマセン）
ノ斡旋連絡ニ依ツテデアリマス、爾來同七年二月歸國スル迄ノ間
數回ニ亘ツテ
上海南京路
ノ
五　芳　濟
ヤ西馬路ノ
陶　樂　春

等ノ支那料理屋ニ於ケル會合ニ參加シテ居リマス、此ノ顧問團ニ於ケル私ノ課セラレタル任務ハ支那ヲ中心トスル内外ノ政治情勢竝ニ夫レニ對スル私ノ意見ノ提供

デアリマシタ、當時其處ニ集ル人達ハ私ノ目カラ見レバ理論水準モ大シタ高イモノデハナク殊ニ國際情勢ニハ余リ通ジテ居リマセンデシタカラ私ノ其ノ

「中共」駐滬政治顧問團

ニ於ケル活動ハ「中共」ニ稗益スルトコロガ可ナリ多カツタモノト思ツテ居リマス、

其ノ他昭和六年夏頃ニハ前申上ゲマシタ

揚　柳　青

カラ頼マレテ當時檢擧ヲ避クル爲ニ「中共」ガ新シク考案シタ

飛　行　集　會

（風ノ如ク集ツテ風ノ如ク散會スルト云フ會合方式）

ノ監察員トナリ二回程命セラルマヽニ
蘇洲河畔上海郵便筋向ノ小公園ニ於ケル集會
等ニ監察ニ出ガケタコトナドモアリマス。
私ハ斯様ニ上海在住中
「中共」
ヤ其他ノ左翼組織ノ爲色々ナ活動ニ參加シテ居リマシタガ、私自身ノ知ル限リニ於キマシテハ私ハ正式ニハ「中共」ヤ其他ノ左翼組織ノメンバートハナツテ居ナカツタト思ツテ居リ、現ニ昭和七年三月頃私ガ上海ヲ引キ揚ゲテ皈國スル時確カ
上海四馬路
ノ
陶樂春
ト記憶シテ居リマスガ、其處デ催サレタ
「中共」駐滬政治顧問團

ノ送別會ノ席上デ、氏名ハ記憶シテ居リマセンガ
「中共」ノ相當ノ地位ノ人ト思ハレル
某（中國人）
カラ、私ノコトヲ
貴君ハ黨員デハナイガ勿論「中共」デハ黨員ト同樣ニ見テ居リ
「中共」ハ正式ニ貴君ニ感謝スル
「中共」ガ貴君ヲ黨員トシナカツタノハ貴君ニ期待スルトコロ
ハ黨員トハ違フ、ヨリ大キナ政治的意見デアツタカラデアリ貴
君ノ都合ヲ良クスル爲ノモノデアツタ、
ト云フ意味ノ挨拶ヲサレタコトニ依ツテモ其間ノ消息ヲ物語ツテ
居ルモノト思ツテ居リマス、尚申殘シマシタガ、此ノ政治顧問團
ノ會合ハ何時モ出席者ハ私ヲ加ヘテ五六名位ノモノデアリ、日本
人ハ私丈デアリ、他ハ何レモ中國人許リデアリマシタ
此ノ

「中共」ノ駐滬政治顧問團ノ會合ニ出席シテ居ツタメンバーデ私ガ名前ヲ知ツテ居リマスノハ前申上マシタ

「中共」ノ對外宣傳機關紙デアル

「中國勞働通信」

ノ代表デアツタ

張　　某

其ノ他

熊　得　山

位ノモノデアリマスガ此ノ外ニモ確カ

潘　漢　年

ナドモ出席シテ居ツタト記憶致シマス、其ノ後此ノ

潘　漢　年

ハ昭和十二年十二月私ガ上海ニ行ツタ時ノ消息デハ

「中共」ノ上海代表

トシテ活動シテ居ルト云フコトヲ人ノ噂サカ左翼出版物カデ知リマシタ、其ノ後ハ上海デ活動スルノハ難シクナツテ、活動ヲ南方ニ還シ香港ニ居ル様ナ記事ヲ矢張リ何カ支那ノ左翼出版物デ讀ンダ記憶ガアリマン。

被疑者　尾崎秀實

右讀聞ケタル處相違無キ旨申立テ署名拇印シタリ

即日　於目黒警察署

警視廳特別高等警察部特高第一課

司法警察官警部　高橋與助

司法警察吏巡査　井上繁一

第三回被疑者訊問調書

被疑者　尾崎秀實

右者ニ對スル治安維持法國防保安法違反被疑事件ニ付キ東京刑事地方裁判所檢事玉澤光三郎ノ命令ニ因リ昭和十六年十月二十七日目黑警察署ニ於テ司法警察官警部高橋與助ハ司法警察吏巡查依田哲立會ノ上右被疑者ニ對シ訊問スルコト左ノ如シ

一、問　被疑者ガ今次ノ諜報活動ヲ爲スニ至リタル經過ノ概要如何

一、答　私ハ十余年來

コミンテルン擁護ノ爲ソビエツト聯邦（以下ソ聯ト略シテ申上ゲマス）ニ對スル日本ノ攻擊ヲ回避セシムル意圖ノ下ニ

所謂

赤色スパイ

トシテ諜報活動ヲ續ケテ來テ居リマシタカラ、是カラ先ヅ、其ノ活動ヲ爲スニ至ツタ經過ヲ申上ゲマス

私ノ只今申上ゲマシタ様ナ活動ノ始ヤリハ前回申上ゲマシタ通リ

私ガ朝日新聞ノ特派員トシテ上海在住中「中共」關係者其ノ他各
方面ノ左翼分子ト交渉ヲ持ツニ至ツタ過程ニ於テ昭和五年末頃
コミンテルンノメンバーデアリ且ツアメリカ共産黨ニモ關係ガ
アツタト信ズル
鬼頭　銀一
カラ確カ
上海南京路ノ支那料理店
冠　生　園
ト記憶シテ居リマスガ其處デ
當時アメリカ人　ジヨン
ト稱シテ居ツタ
ゾル　ゲ
ヲ紹介サレテカラデアリマス、而シテ前回申上ゲマシタ様ナ過程
ヲ經テ
ジ　ヨ　ン

ニ連絡シタ時私ガ同人カラ命ゼラレマシタ任務ハ前回モ申上ゲマシタ通リ

一、日本ノ新聞記者トシテ集メ得ル限リノ支那ノ内部情勢

二、日本ノ對支政策ノ現地ニ於ケル摘用

等ニ就テ知ラシテ貰ヒ度イト云フコトデアリ、爾來同七年二月私ガ上海ヲ引揚ゲル迄毎月平均一回位宛上海南京路ニアル料亭、其他

スメドレー女史ノ部屋

「當時スメドレー女史ハ最初ノ頃ハ上海ノ佛租界ニ家ヲ持ツテ居リ其ノ後ハ靜安寺路ノ街外レノ或ル大キナアパートノ一室ニ居リマシタ」

等デジヨント連絡シテ、私ノ與ヘラレタ任務ニ對スル情報ノ提供竝ニ夫等ニ對スル私ノ意見ヲ述ベテ居リマシタガ、昭和六年九月滿洲事變勃發後ジヨンノ要求スルモノハ夫レニ關スルモノデアリ、

其他昭和六年夏頃漢口周邊ニ迫リツヽアル紅軍（中共軍）ト民衆ノ動向調査ナドノ特命ヲ受ケタ事モアリマスガ夫等ノコトニ就テハ後ニ詳シク申上ゲルコトニ致シマス、

私ガ上海在住中ニ於ケル

ジ ヨ ン

トノ直接連絡ハ只今申上ゲマシタ通リ平均月一回位ノモノデアリマシタガ

其ノ外ニモ私ガ

スメドレー女史

ニ屢々會ツテ、色々話シタコトナドモ其必要ナモノハ同女史ヲ通ジテ

ジ ヨ ン

ニ報告サレテ居ツタ様デアリマシタ

昭和七年二月大阪朝日ヘ轉勤命令ヲ受ケマシタ當時私ガ、上海ニ踏ミ止ツテ其ノマヽジヨンノ活動ニ協力スベキカ否カ、其ノ爲ニ

ハ朝日新聞記者ヲ棒ニシナケレバナラナイト云フ岐路ニ立チマシタガ當時ノ私ニハ其ノマヽ上海ニ踏ミ止ツテジヨンノ活動ニ協力スルト云フコトハ任務ガ重スギルト思ヒマシタノデ

ジヨン

ニ會ツテ大阪朝日ヘ轉勤命令ノアツタコトヲ告ゲ日本ニ皈ツテ暫ク情勢ヲ視度イカラト云フコトヲ相談スルト

ジヨン

ハ、私ガ上海ヲ去ルコトニ對シ君（私）ヲ茲デ離スト云フコトハ非常ニ殘念デハアルガソウ云フ事情ナラヤムヲ得ナイト云フコトデアリマシタノデ、其處デ一旦、私ガ夫レ迄ジヨンカラ契ラレテ居ツタ任務ヲ切ツテ皈國致シマシタ、スルト其後昭和九年ノ晩春頃ノコトヽ記憶致シマスガ或ル日ノ午後突然

南 龍一

ナル名刺ヲ持ツタ青年ガ

大阪市北區仲ノ島

大阪朝日新聞社

ニ私ヲ訪ネテ來マシタノデ會ツテ見ルト其ノ青年ガ私ヲ訪ネテ來タ用件ト云フノハ、

私ガ上海時代ニ非常ニ親シグシテ居ツタ外人ガ今日本ニ來テ居ツテ是非モウ一度會ヒ度イト云ツテ居ルカラ會ツテ呉レナイカト云フコトデアリマシタノデ私ハソノ話ヲサレタ時最初ハ、コレハ若シカスルト私共ノ上海時代ノ活動ヲ知ツテ警察ノスパイガ來タノデハナイカト云フ樣ナ感ジヲ受ケマシタノデ警戒致シマシタガ段々話ヲ聞イテ見ルト其ノ懸念モナク其ノ私ニ會ヒ度イト云フ外人ガ前申上ゲマシタ

ジヨン（ゾルゲ）

デアルコトモ推定スルコトガ出來マシタノデ更ニ其ノ日ノ午後六時頃カラデアツタト思ツテ居リマスガ

大阪市西區土佐堀船町

ニ在ル支那料理店

白　蘭　亭

デ再ビ會ツテ色々話シヲ聞イタ結果、其ノ外人ト云フノハ確實ニ

ジ　ヨ　ン　(ゾルゲ)

デアルト云フ推定ガツキマシタ

其ノ南龍一ナル者ハ

宮　城　與　德

ナル者デ、アメリカノ共産黨員デアリ、アメリカデコミンテルンノ命ヲ受ケ日本ニ派遣サレタモノデアリ其ノ外人(即チジヨン(ゾルゲ)ニ私ヲ引合セルノモ其ノ任務ノ一ツデアルンダト云フコトモ了解スルコトガ出來マシタ、(尙其ノ翌日頃モ其ノコトニ就テ當時

兵庫縣川邊郡稻野村御願塚二百二十三番地ノ私ノ自宅

デモ宮城ニ會ツテ相談シタ樣ナ記憶モアリマスガハツキリ致シマセン

其ノ様ニシテ宮城ヲ通ジテジヨントノ連絡ヲ約シ其ノ宮城ト會ッ
テカラノ數日後ノ或日ノ晝間
　奈良公園内指定ノ場所
デ
　ジ　ヨ　ン
ト上海以來ノ再會ヲ致シマシタ、ソウシテ
ジ　ヨ　ン
カラ
　又一ツ大イニ日本ノ情勢ニ付テ手傳ッテ呉レ、今度ハ支那デハ
　ナクテ日本ダ
ト云フコトデ
　日本ニ於ケル政治經濟軍事其他一般情勢ニ就テノ情報ト夫等ノ
問題ニ對スル私ノ意見ヲ知ラセル
ト云フコトノ任務ヲ課サレタノデ私ハ再ビジヨンニ協力スルコト
ヲ決意シ其ノ與ヘラレル任務ヲ遂行スルコトヲ承諾致シマシタ

即チ私ハ概要申上ゲマシタ通リノ經過ヲ辿ツテ

コミンテルンノ爲ニ所謂赤色スパイ

トシテ今度檢擧ニナル迄引續キ其ノ諜報活動ニ從事シテ居リマシ

タ、

私ハ前回モ一寸申上ゲテアリマス如ク最初ノ頃ハ

ジヨン

ハホントウニ、アメリカ人デアルト思ツテ居リマシタガ其ノ中昭

和十年頃ニハ

ジヨン

ノ口カラ親ノ一方ハドイツ人デ一方ハソ聯人デアルト云フコトモ

聞イテ居リマスノデ或ハドイツトソ聯ト兩方ニ國籍ガアルノデハ

ナイカトモ思ツテ居リマシタガ其ノ後昭和十一年九月頃

帝國ホテル

デ催サレタ

太平洋問題調査會（俗稱太平洋會議）

ニ出席シテノ帰途ワタシニ立寄ッタル

蘭印代表

某（當時三十四五歳位ノ青年）

ノ御茶ノ會ノ席上デ其ノ某カラ

ジヨン

ノコトヲ

　ドイツ通信員デ御同業ノ

　　ドクターゾルゲ

ト云ッテ紹介サレタノデ勿論ドクターナドデハ無イコトハ前カラ

知リ抜イテ居リマシタガ名前ハ

ドイツ人

　ゾルゲ

デアルト云フコトヲ知リマシタ

其ノ

蘭印代表　某

ノ名前ハ今思ヒ出セマセンガ必要ナレバ其ノ太平洋參加者ノ名簿ヲ見レバ其ノ誰デアツタカ思ヒツクト思ツテ居リマス、

被疑者　尾崎秀實

右讀ミ聞ケタルニ相違無キ旨申立署名拇印セリ

即日　於目黑警察署

警視廳特別高等警察部特高第一課

司法警察官　警部　高橋與助

司法警察吏

警視廳巡査　依田哲

(三十二)

第四回被疑者訊問調書

被疑者　尾崎秀實

右者ニ對スル治安維持法並國防保安法違反被疑事件ニ付東京刑事地方裁判所檢事玉澤光三郎ノ命令ニ因リ昭和十六年十月二十八日目黑警察署ニ於テ司法警察官警部高橋與助ハ司法警察吏巡査依田哲立會ノ上右被疑者ニ對シ訊問スルコト左ノ如シ

一、問　被疑者ノ今次ゾルゲ一派ノ諜報團ニ對スル認識ノ概要如何

答　私ハゾルゲ及ビ私竝ニ宮城與德等ヲ中心トスル諜報團ニ對シテハ後ニ申上ゲマス通リノ理解ト信念ヲ持ツテ居リ、此ノ理解ト信念トニ基キオ互ニ堅ク身命ヲ賭シマシテ今日迄其ノ活動ニ從事シテ居リマシタカラ夫レニ付テ先ヅ第一ニ私ガ理解シ且ツ斯ク信シテ居リマシタ、ゾルゲ及ビ宮城、私ノ

コミンテルン

ニ對スル組織的關係カラ申述べマス、私ハ

(三十三)

ゾルゲ
ニ對シテハ既ニ申上ゲテアル様ナ、私ガゾルゲニ連絡ヲ付ケラレルニ至ツタ過程ヲ見テモ明瞭ノ通リ、昭和五年末頃上海ニ於テ
アメリカ人
ジヨン
トシテ連絡ヲ付ケラレタ當初カラ
ジヨン　即チ
ゾルゲ
ハ申ス迄モ無ク
コミンテルン
ノ何レカノ部門ニ屬シテ居ル人デアルト云フコトヲ理解シ且ツソウ信ジテ居リマシタカ、其ノ部門ガコミンテルンノ如何ナル名稱ノ部門ニ屬シテ居ルカハ存ジマセンデシタ、又強ヒテ斯クノ如キコトヲ問フト云フコトモ、コンミ

ニストトシテハ為スベキデハナイノデアリマス、然シ現實ニ、ゾルゲカラ私ニ課セラレル仕事ノ性質カラ推シテ、假令バ支那ノ「中共」デ云ヘバ所謂特殊工作ノ部門ニ該當スル樣ナ コミンテルンノ重要部門ニ屬シテ居ルモノデアルト云フコトガ明瞭ニナツテ來マシタ、而シテ、 ゾルゲ ハ一面只今申上ゲタ樣ナ、コミンテルンノ或ル何レカノ重要部門ニ屬スルト共ニ其ノ他ニモ、ソ聯政府機構ト極メテ密着シタ關係ニアル人物デアルト云フコトハ同人トノ折觸ヲ通ジテ漸時ニ明カニナツテ參リ、其ノソ聯政府機構內ニ於ケル、ゾルゲノ所屬ハ 內務人民委員部ニ屬スル、ゲ、ペ、ウノ機關ニ密着シテ居ルモノト理解スル樣ニナリマシタ、ソウシテ、私ノ知ルトコロデハ

ソ聯ノゲ、ペ、ウ

ハ國内ノ治安、反共工作ニ對スル監視ノミナラズ、外國ニ於ケル調査活動ヲモ爲ス任務ヲ持ヅテ居ル筈テアリマスカラ、ソレハ何等不思儀ナコトデハナク、又、

コミンテルン

ノ或ル部門ニ屬スルト共ニソ聯政府機構ノ一員トナルコトモ勿論不思議トスルモノデハナグ、

私ハ

コミンテルン

ト、

ソ聯政府

トハ機能的ニハ全然同一ノモノデアルト確信シテ居リマス

以上申上ゲマシタ

ゾルゲ

ノコミンテルン及ソ聯ニ於ケル組織的關係ハ繰返シマス如ク從來
私共ノ爲シ來レル諜報活動ノ現實ニ徴シテ明瞭ナル許リデハナク、
ゾルゲ
ハ私トノ連絡ノ場合ニ於テモ例ヘバ
ドイツ
ノコトハ
ジャーマニー（獨逸國）
ト呼ンデ居リマシタガ
ソ聯
ノコトハ常ニ
アワー、サイド（吾々ノ側）
アワー、ホーム（吾々ノ母國）
ト呼ビ或ハ
アワー、カントリー（吾々ノ國）

ト呼ンデ居リマシタ點ナドデモ其ノ間ノコトガハッキリシテ居リ、
又昭和十年頃私ノ誕生日デアル、五月一日ニゾルゲカラ、銀ノシガーレットケースヲ贈ラレル時ニモ亦、其ノ翌年頃ノ同樣誕生日ニ、四十米弗カヲプレゼントトシテ渡サレタ時ニモ、同人ハ、
コレハ自分個人カラノプレゼントデハ無ク吾々ノグループカラノ贈物ダカラ取ツテ呉レ、
ト云ツテ居ツタコトガアリマス、私ハ其ノ時ノ、
ゾルゲノ云フ
吾々ノグループ
ト云フ言葉ハ、コミンテルン内ノ吾々ノ屬シテ居ル部門ヲ指シテ居ルモノト理解シテ居リマス、
次ハ私自身ガ
コミンテルン
ト組織的ニハ如何ナル關係ニ置カレテアルカニ付テ私ノ理解シ斯ク信ジテ居ルトコロヲ申上ゲマス
私ハ只今申述ベマシタ樣ニ昭和五年末頃カラ
コミンテルンノ一、重要部門ノメンバーデアルト信ズル

ゾルゲ

ト連絡シ全人ニ協力シテ諜報活動等其ノ課セラレタル任務ヲ遂行シテ來テ居リマスガ私ノ理解スルトコロデハ最初ノ頃ハ、正式ニ、コミンテルンノ、メンバートシテデハナクシテゾルゲヲ通ジテ、コミンテルンノ活動ニ協力シテ居ルト云フ形式ニ置カレテアッタモノト思ヒマスガ其ノ中昭和十年冬頃デアッタト記憶シマスガ

市内 日本橋區濱町ノ

支那料理屋 濱ノ家

カ

京橋區西銀座ノ

西洋料理店 エーワン

カデ、ゾルゲト連絡シタ時、當時、

モスコー其ノ他ニ旅行シテ歸ッテ來タ、全人カラ

吾々ノ母國（アワー、ホーム）知人達ガ君（私）ノコトヲ

知ツテ居ルヨ
ト云ワ意味ノコトヲ傳ヘラレタノデ、私ハ其ノ時、ゾルゲノ其ノ言葉ノ持ツ意味ヲ以テ私ガ、コミンテルンノ組織的内ノ、ゾルゲノ屬シテ居ル特殊ナ重要部門ノ正式メンバートシテ登録サレテ居ルト云フコトダト理解シ、遲クモ、其ノ年、ゾルゲガ、モスコーヘ旅行シタ頃ノ時期（昭和十年夏頃）以後ニ於テハ

コミンテルンノ正式メンバー、

トナツテ居ルモノト堅ク信ジテ今日ニ及ンデ居リマス、又、宮城與徳　モ是迄申上ゲマシタ様ナ情況ニ依ツテデモ勿論私ト同様、

コミンテルンノ正式メンバーデ、ゾルゲノ屬スル部門ニ所屬シテ居ルト云フコトハ疑ラノ余地ハアリマセン、

以上申述ベマシタ通リノ

ゾルゲ

私

宮城與德

コミンテルン

ノ

トノ關係ニ依ツテ見テモ、今度ノゾルゲヤ吾々ヲ中心トスル諜報團、卽チ赤色スパイ團ノ性質、任務ハ說明ノ要モナク明瞭ニ規定サレテ居ルコトデハアリマスガ、之ヲ要約致シマスレバ、夫レハ

コミンテルンノ組織內ノ重要ナル特殊部門ニ屬シテ居ルモノデ、コミンテルンノ指令ヲ受ケテ各國ノ諸情勢ヲ諜知セントスルモノデアリ、其ノ私ニ課セラレタ任務ハ私ノ上海在住當時ニ於テハ支那ヲ中心トスル諸情勢ト之ニ對スル私ノ意見ノ提供ガ主デアリマシタガ、昭和九年晩春頃日本ニ於テゾルゲト再會後ヨリ今日迄ノ私ニ課セラレタル任務ハ日本ノ政治、外交、軍事、經濟等ノ總テニ亘ル情報ト之ニ對スル私ノ意見、判斷ノ提供

デアリマシタ

即チ私ハコンミニストトシテノ堅キ信念ト決意トヲ以テコミンテルンノ援助ヲ中心トシテ、「中共」トノ堅キ聯繋ノ下ニ、日本ニ於ケル共産主義的社會ー究極ニ於テハ共産主義社會ノ實現ヲ意圖シ、ソ聯防衛ノ爲メ只今申述ベマシタ通リノ、ゾルゲ一派ノ諜報團ニ參加シ其ノ活動ニ從事シテ居リマシタ

被疑者　尾崎　秀實

右讀聞ケタルニ相違ナキ旨申立テ署名捺印シタリ

即日　於目黑警察署

警視廳特別高等警察部特高第一課

司法警察官

警部　高橋　與助

司法警察吏

警視廳巡査　依田　哲

第五回被疑者訊問調書

被疑者　尾崎秀實

右者ニ對スル治安維持法竝國防保安法違反被疑事件ニ付東京刑事地方裁判所検事玉澤光三郎ノ命令ニ因リ昭和十六年十月二十九日目黒警察署ニ於テ司法警察部高橋與助ハ司法警察吏巡査依田哲立會ノ上右被疑者ニ對シ訊問スルコト左ノ如シ

一、問　被疑者等今次諜報團ノ組織竝連絡方法ハ概要如何

答　ゾルゲ、私、宮城等一派ヲ中心トスル諜報團ノ組織關係ノ中

コミンテルン

トノ組織關係ニ就テハ前回申述ベタ通リデアリマスカラ此ノ諜報團ノ日本ニ於ケル組織メンバーニ就テ申上ゲマス、

日本ニ於ケル此ノ諜報團ノ中心ハ

ゾルゲ

私

宮城

デアリ此ノ他、現在外國人デハ、ゾルゲノ周圍ニ

無電ノ方ノ任務ヲ持ツテ居ルト云フ

ドイツ人（年頃四十一、二年位肥ツタ男）

及ビ

ユーゴースラビヤ人デ最近日本ノ婦人ヲ妻ニシ其ノ子供迄

アルド云ブ

寫眞ノ方ノ技術ヲ受持ツテ居ルト云フメンバー

ガ居ルト云フコトヲ知ツテ居リ、其ノ無電ノ方ヲ受持ツテ居

ルト云フドイツ人ノ同志トハ最近二回程

ゾルゲノ自宅

（麻布區內鳥居坂警察署ノ附近デアリマス）

デ會ツテ居リマスガ

ユーゴースラビヤ人デアルト云フ同志

ニハ未ダ一度モ會ツテ居リマセン
（此ノ時本職ハ被疑者ニ
マツクス、クラウゼン
ノ寫眞ヲ提示スルニ被疑者ハドイツ人同志某ハ其ノ寫眞ノ
男ニ相違ナキ旨答ヘタリ）
尚其ノ外ニ昭和十一年秋頃カラ同十三年末頃迄ノ間
ゾルゲ
カラ紹介サレタ
グンター・シユタイン
ナル同志トモ連絡シテ居ツタコトガアリマスガ
グンター・シユタイン
ハ昭和十三年末頃日本ヲ去リマシタ
同人ハ當時ハ
ヒナンシヤル・ニユース

ノ

東京特派員

ヲシテ居リマシタガ其ノ後最近迄ハ

香港

デ、自分デ

チヤイナー、エアメール

ト云フ通信ヲ發行シテ居リ重慶ト往復シテ居ル樣デアリマシタ、

ダンター、シユタイシハ、經濟記者トシテモ有能ナ人デアリマス。

以上ハ私ガ知ツテ居ル範圍デ外人ノ同志ノ關係デアリマスガ内地人デハ、私ガ情ヲ告ゲテ獲得シタ同志トシテ

水野成

川合貞吉

ノ兩名ガアリ、尙私ヤ宮城等デ此ノ諜報團ノ仕事ヲスル上ニ於テ軍事知織ヲ得ル爲ニ利用シタモノニ

篠塚虎雄

ガアリ、

其ノ他ニモ例ヘバ、最近迄滿鐵東京支社ニ居ツタ

海江田久孝

等ノ如ク、矢張リ私ガ此ノ諜報團活動ノ爲ニ資料ヲ得ル等利用シタモノガアリマスガ夫等ノ關係ニ付テハ又後デ詳シク申上ゲマス

又宮城ノ周圍ニモ此ノ諜報活動ノ爲ニ協力乃至利用シ或ハ利用セントシタ色々ナ人ガアル樣ナコトハ、時々宮城カラ話サレタコトガアリマスガ詳シイコトハ記憶ハアリマセン

同志水野成ハ昭和六年頃上海デ私デアツタカ鬼頭銀一デアツタカノ紹介デ

ゾルゲ

ニ會ハシテ居リ其ノ後昭和十一年夏頃デアツタト思ヒマスガ上野公園下ノ鳥料理店　山　下デ私ガ再ビ水野ヲ

ゾルゲ

ニ引合ハシテ居リマス

私ハ水野成ニ對シテハ私ノ後繼者タルベキ同志トシテ信頼ヲ掛ケテ居ツタ樣ナ次第デアリマス

又川合貞吉ニモ昭和六年頃上海時代ニ

ゾルゲ

ヲ引合ハセテ居リ爾來引續キ私共ノ諜報活動ニ協同サセテ居リマス、

然モ私ハ日本ノ情勢ヲ判斷シテ遲クモ昭和十七年上半期迄ニハ一大混亂ヲ經テ大變換ヲ來スモノト見テ居リマシタノデ、

川合ニ對シテハ其ノ變換期ニ於ケル活動ニ期待チカケテ居リマシタ

次ハ此ノ吾々諜報團ノ連絡方法デアリマスガ、其ノコミンテルン

トノ連絡ニ付テハ

ゾルゲガ何レカノ最モ安全ナ、ルートニ依リ確實ニ爲サレテ居ルコトハ事實デアリマスガ然シソレハ、

ゾルゲガヤツテ居ルノデ詳シイコトハ解リマセンデシタガ無電デウラジオストツク邊リヲ經由シテノ連絡、

ト

ゾルゲ等ガ上海方面ニ居ル同志トノ往復ニ依ル連絡、

等ノ方法ニ依ツテ爲サレテ居ルモノト推定シテ居リマシタ、

一方内地ニ於ケル同志間ノ連絡ハ

私ハ外人デハ終始　ゾルゲ

ト連絡シテ居リ其ノ連絡方法ハ連絡ノ都度其ノ場デ次回連絡ノ日時場所ヲ定メルト云フ方法ヲトツテ居リ

ゾルゲ

又ハ私ノ旅行ナドデ連絡ノ切レタ時ナドニハ、ゾルゲノ方カラ、私ノ勤ヌ先ニ電話デ連絡ヲツケテ來ルコトモアリマシタガ大概ハ宮城ヲ通ジテ連絡ヲツケルコトノ方ガ多クアリマシタ、

其ノ回數等ハ

昭和九年晩春頃奈良公園デゾルゲニ再會シテカラ同年秋頃迄（私ノ大阪朝日新聞社時代）ノ間デハ京都ノ平安神宮境内デ一回

ト私ガ上京シテ來テ

銀座西七丁目　ニューヤワン

デ連絡シタ位ノモノデアリマシタガ

昭和九年秋私ガ東京朝日新聞ニ轉ジテカラ今回ノ檢擧ニ至ル迄ノ間ハ昭和九年秋頃カラ同十二年七月支那事變勃發迄ハ大体月一回位ノ豫定

支那事變勃發後本年獨ソ開戰迄ハ二週間乃至三週間ニ一度位ノ豫定、

デ連絡シテ居リ

獨ソ開戰後ハ一週間ニ一度月曜日ヲ連絡日ト定メテ居リマシタ、

連絡ノ場所ハ最初ノ頃カラ昭和十五年末頃カ本年初メ頃迄ハ一流、二流ドコロノ主トシテ料亭、時ニハ待合等ヲ使ツテ居リマシタガ（但シ待合ノ使用ハ危險デアルト思ツテ余リ使用シテ居リマセンデシタ）

昭和十五年暮頃カ本年始メ頃カラハ、外部デ連絡スルノハ却ツテ危險ダト云フ吾々共通ノ考ヘカラ、ゾルゲノ自宅デ連絡シテ居リマシタ、

料亭待合等ヲ連絡場所ニスル時ハ私ガ其ノ場所ヲ選ンデ居リ最初ノ頃ハ一二度

尾　竹

ナドト云フ名前デ申込ンダコトモアリマシタガ、ソレモ却ツテ馬脚ヲ露ハス惧レガアルト思ヒマシタノデ其後ハ夫々其ノ當時ノ私ノ職場ニ應シテ

「朝日新聞」ノ　尾　崎

或ハ

「內閣」ノ　尾　崎

或ハ

「滿鐵」ノ　尾　崎

ト云フ風ニ本名デ申込ンデ居リマシタ

私ガ之レ迄、ゾルゲトノ連絡ニ使用シタ料亭等デ記憶ノアルノハ

高輪ノ
　いづみ
品川ノ
　三　徳
　洲崎館
大井ノ
　川崎屋
　悟空林
銀座ノ
　エー・ワシ
　昇龍閣

中島本館、別館
ローマイヤ
築地ノ
花月
錦水
芝ノ
嵯峨野
麻布ノ
春岱寮
麹町ノ
霞ケ關茶寮
鳥屋
末廣ノ本支店
上野ノ

山下

明月莊

自笑軒

雨月莊

芝浦ノ雅叙園

澁谷ノ北京亭

双葉

横濱、及銀座ノニユーグランド

銀座ノリッツ

等多數アリ

待合デハ
神樂坂ノ
榊
赤 坂ノ
君 永 樂
等デアリマス
私ノ
ダンタト、シユタイン
トノ連絡ハ、昭和十一年秋頃
ゾルゲノ代リ
トシテ
品 川ノ
洲 崎 館
デ連絡シタノガ初メテデ其ノ後同十三年末頃迄ノ間

築地ノ
たこ鶴
銀座ノ
オリンピツク
延壽春
等デ各一回位宛連絡シテ居リ、其ノ他ハ
麻布區内有栖川公園附近ノ
シユタインノ自宅
デ四五回會ツテ居リマス、
私ト宮城トノ連絡ハ最初ノ頃ハ月ニ一回位宛
神樂坂ヤ新橋ノ
一平莊
銀座其他ノ茶房、喫茶店例ヘバ
都茶房

ジャーマン・ベーカリー

富士アイス

不二屋

等々或ハ

上野ノ

世界

其ノ他ゾルゲトノ連絡場所トシテ先程申上ゲマシタ料亭ナドノ中ノ二流トコロノ料亭等、

デヤツテ居リマシタガ昭和十五年春頃カラハ主トシテ私ノ自宅デ一週間ニ一度、十日ニ一度ト云フ様ニ頻繁ニ連絡シテ居リマシタ。

私トゾルゲト宮城トゾルゲト三人デ一諸ニ會ツタノハ昭和九年暮頃カ翌十年春頃上野公園下ノ

山下

デ一回位アツタ丈デアリマスガ勿論宮城モ

ゾルゲ

トハ頻繁ニ連絡シテ居リマシタ

被疑者　尾　崎　秀　實

右讀ミ聞ケタルニ相違ナキ旨申立テ署名捺印シタリ

即日　於　目黒警察署

警視廳特別高等警察部特高第一課

司法警察官

警部　高　橋　與　助

司法警察吏

警視廳巡査　依　田　哲

尾崎五ノ八

第六回被疑者訊問調書

被疑者　尾崎秀實

右者ニ對スル治安維持法違反國防保安法違反被疑事件ニ付東京刑事地方裁判所檢事玉澤光三郎ノ命令ニ因リ昭和十六年十月三十一日目黑警察署ニ於テ司法警察官警部高橋與助ハ司法警察吏巡査井上繁一立會ノ上右被疑者ニ對シ訊問スルコト左ノ如シ

一、問　被疑者ノ今次諜報活動ノ概要如何

答　私ノ諜報活動ハ既ニ申述ベマシタ通リ昭和五年ノ末頃カ全六年始メ頃カラ今度ノ檢擧ニ至ル迄ノ實ニ十餘年ニ亘ル活動デアリマスカラ其ノ詳細ハ追ツテ申上ゲルコトニシテ先ヅ、其ノ時期時期ニ於テ如何ナル點ニ重點ヲ置イテ其ノ情報ヲ探リ集メテ居ツタカニ就テ申述ベマス、卽チ

私ノ上海在住時代ニ於ケル諜報活動ノ重點ハ其ノ最初ノ頃ハ

尾崎六ム

國民政府ヲ中心トシタ內外ノ諸情報ノ收集

デアリマシタガ昭和六年九月滿洲事變勃發以後ニ於テハ

滿洲事變以後ニ生ジタ國民政府ノ內部的情勢ニ關スル情報

（例ヘバ汪兆銘、孫科等來滬ノ經緯等ノ如キ）

滿洲國建國ノ事情、滿洲國內諸派ノ動キ、滿洲國ニ對スル國民

政府ノ態度

國民政府ト英米トノ關係

支那ノ社會、秘經濟的事情ニ就テノ諸事實、（例之浙江財閥、

秘密結社組織等ノ如キ）

滿洲事變カラ引續キ對ソ戰ヘ轉化スル危險ナキヤニ就テノ諸情

勢

上海事變勃發前後ノ諸情勢

等ニ就テデアリ、夫等ニ就テ私ノ集メタ情報ヤ私ノ意見等ハ專ラ

口頭デ

ゾルゲ
ニ報告シテ居リマシタ
其ノ間、情報ノ資料トシテ私カラ、ゾルゲニ渡シタモノデ、私ノ
記憶ニアルノハ
滿鐵（南滿洲鐵道株式會社）
ノ刊行物デアル
「浙江財閥」
位デアリマス
其ノ他
中共ノ實勢
ニ就テモ（例ヘバ漢口周邊ニ於ケル紅軍ノ情勢ノ如キ）報告シタ
コトガアリマスガ之レハ中共側ノ提出スル報告ノ眞相ヲ觀測セシ
ムルト云フ樣ナ意味モ含ンデ居ル樣デアリマシタ、日本ニ歸ツテ
來テカラノ其ノ時々ノ情勢ニ應ジテ重點ヲ置イタモノハ

尾崎六ノ二

例之

五、一五事件ヨリ二、二六事件ニ至ル日本ノ革新的諸潮流ノ調査及ビ其ノ動向、竝ニ其ノ軍部内諸派トノ關係

ソ聯擁護ノ爲メ日本ノ對ソ攻擊ノ危機ニ對スル諸情報ト之ニ對スル意見、判斷

日本ノ所謂經濟危機ニ關スル諸情勢竝ニ之ニ對スル意見

日獨防共協定成立前後ノ諸情事情、支那事變勃發後日本ノ對支政策（例之支那事變ノ見透シ、汪兆銘工作、對蔣直接交渉ニ關スル情報等）

國內新体制（政治的）運動ニ付テ之ガ翼賛會ヘ固定スル迄ノ事情、對ソ關係ノ危機ヲ胎ンダ張鼓峰事件、ノモンハン事件ニ付テノ情報、特ニ對ソ戰ヘ發展ノ可能性ノ有無ニ就テノ諸情報ノ探知收集ト之ニ對スル判斷

最近ノ重要ナル外交關係、特ニ

獨ソ戰開始以後ニ於ケル日本ノ對ソ攻撃ガ行ハルヽヤ否ヤニ
關スル諸情報ノ探知收集竝ニ判斷

日本ノ對米和協工作ノ內容竝ニ其ノ進展事情ニ關スル一般情
報ノ探知收集ト之ニ對スル理論的推測等、

其ノ他、私ノ其ノ時々ノ旅行ノ際ニ於ケル現地視察ニ基ク報告
（例之、昭和七年夏頃ニ於ケル滿洲旅行、仝七年暮頃ヨリ翌八
年正月ニ於ケル北京、天津旅行、
仝十一年暮頃ヨリ翌十二年正月ニ於ケル北支一帶、
仝十二年十二月ヨリ翌十三年三月迄ニ於ケル、上海、香港旅
行、　仝十四年夏ニ於ケル香港、上海、漢口
仝十五年三月上海、仝年十月新京、奉天、大連、
仝年十二月上海、青島、北京、大連
仝十六年九月大連、奉天、新京方面旅行ノ如キ、）
等デアリマスガ、私ノ場合

尾崎 六ノ三

　ゾルゲ
ニ對スル報告ハ大概ノ場合口頭ヲ以テ爲サレテ居リマス、
夫レハ一ツニハ資料ノ提供ニ（資料ハ主トシテ宮城與徳ヲ經由シ
テ提供シテ居リマシタ）
其ノ取扱上ニ於テノ絶對的ナル迄ノ安全感ヲ持チ得ナカツタ點デ
アリ、萬一ノ場合ニ其ノ資料ノ出所ニ迷惑ヲカクタクナイト云フ
考ヘト、二ニハ動キツツアル中心ノ問題ニ對スル諸情報ト之ニ對
スル私ノ經驗ト推理トニ依ル判斷トヲ確實ニ先方ニ把握セシメン
ガ爲ノ意圖等カラデアリマシタ
資料ノ形ヲ以テ
　ゾルゲ
ニ提供シタモノデ今私ノ記憶ニアルモノハ
　軍事科學教科書的ナル軍ノ裝備編成、戰術等ニ關スル要綱（篠
崎虎雄ヨリ入手セル資料）

戰時下日本農村ノ實情ニ就テノ研究、（水野成擔當研究調査
ノモノ）
滿鐵東京調査室調査報告書ノ中ノ若干ノ文獻
（例ヘバ「戰時下ノ日本農村ノ動向」等ノ如ク）
仝シク滿鐵東京支社調査室發行ノ
東京時事資料月報（仝月報ハ昭和十四年八月頃ヨリ毎月一
回宛發行サレテ居ルモノデ其ノ中數册ハ其ノ儘ノ形チデ宮城
ヲ經由シテ提供シテ居リマスガ他ハ其ノ卷頭ノ私ノ政治情勢
報告ノミデ殆ンド毎號ノ分ヲ提供シテ居リマス）
及ビ
昭和十五年三月上海デ開催サレタ滿鐵調査部ノ支那抗戰力調
査委員會
ノ報告書ヲ滿鐵上海事務所調査室デプリントシタモノノ中
支那軍政情況報告

上海經濟ノ支那抗戰体制中ニ占ムル地位等

並ニ

昭和十六年九月大連滿鐵本社ニ於テ開催サレタ新情勢ノ日本

政治經濟ニ及ボス影響調査ニ關スル會議

ニ對シ東京支社調査室デ提出シタ報告書、

其他

昭和十六年春頃提供シタ

革新諸團体表

仝十六年六、七月頃提供シタ

（軍首腦部ノ異動表及師團ノ數及其ノ所在地等ヲ表ハシタ

モノデ、之レハ當時滿鐵東京支社時事資料部責任者

海江田久孝

ヨリ入手セルモノデアリマス）

等デアリマスガ尚記憶漏レガアルカモ知リマセンカラ其ノ點ハ良

ク記憶ヲ整理シテ追ツテ申上ゲマス
私ハ概要以上申上ゲマシタ樣ナコトヲ重點トシテ嚢ニ申述ベマシタ通リノ目的使命達成ノ爲メ、是迄私ノ屬スル汎ユル環境、汎ユル條件ヲ利用シテ夫等ニ對スル政治、經濟、外交、軍事等諸般ノ情報ヲ探知シ收集シテ夫等ノ諸情報ヲ
ゾルゲ
ニ提供スルト共ニ併セテ夫等ニ對スル私ノ意見、判斷ヲ進言シテ居リマシタ
而モ其ノ私ノ進言シタ意見、判斷ハ例之
支那事變ニ對シ事變ノ發展擴大ト其ノ世界動亂ヘノ轉化ノ必然性
ニ對スル見透シノ如ク
或ハ
日本ノ對ソ攻擊ノ危機殊ニ獨ソ開戰後沿シド其ノ實現ニ至ラ

尾崎 六ノ五

ント観測サレタルニ不拘、諸般ノ情報ニ基キ昭和十六年八月下旬頃ニ於テ日本ガ其ノ實行ノ不可能ナル情況ニアルコトノ斷定ヲ下シ之ヲ、ゾルゲニ進言シタルガ如ク未ダ嘗ツテ一度モ其ノ意見判斷ニ狂ヒハアリマセンデシタ

之ヲ以テシテモ特ニ最近ノ樣ナ緊迫セル世界情勢下ニ於テ今度吾々諜報團ノ檢擧ヲ見ルニ至ツタコトハコミンテルン側ニトツテ大ナル打擊デアルト思ヒマス

二、問　今次諜報活動ノ報酬並費用等資金關係如何

答　私ハ曩ニ申述ベテアル通リノ、吾々ノ屬スル諜報團ニ對スル認識ト、固キ信念ノ下ニ其ノ活動ニ從事シテ來タノデアツテ、元ヨリ報酬ナドヲ目當テニヤツテ來タノデハアリマセンカラ其ノ點ハ、ハツキリ申上ゲテ置キマス

從ツテ

ゾルゲカラ一定ノ額ヲ定メテ、金錢ノ支給ヲ受ケテ居ツタコトハアリマセン

卽チ、私ノ上海時代ニハホントウノ自動車賃トシテ前後數回ニ亘リ併セテ四、五米弗位受取ツテ居ル丈デアリ、其ノ後昭和九年晩春頃

ゾルゲト日本デ再會後モ昭和十五年頃迄ハ例ヘバ曩ニ申上ゲマシタ通リ、

尾崎六ノ六

私ノ誕生日ニプレゼントトシテ金品ヲ贈ラレタリ、其ノ他ニモ、大阪朝日時代ニ百圓宛二回位、東京朝日時代ニモ百圓宛二、三回位、交通費及交際費ノ補助トシテ受取ツテ居リ

昭和十五年三月上海へ旅行ノ時ニハ五十米弗、仝年十二月仝ジク上海方面へ旅行スル時ニハ四十米弗ヲ貰ツテ居リマス

昭和十六年ニ入ツテカラハ或時ハ百圓或時ハ二百圓ト云フ工合デ月平均ニシテ、百五十圓位ノ割ノ金ヲ受取ツテ居リマス、其ノ他連絡ノ爲メ使ツタ、各料亭ヤ待合等ノ費用モ大部分ハゾルゲガ出シテ居リマシタ

元來ゾルゲハ夫當ノ金ヲ受取ヲナクレバ不快ナ顔ヲシテ頻リニ奬メマスノデ先方ノ出ス金ハ受取ツテ居リマシタ

一方私ハ私デ同志川合ニ對シテハ時期ノ點ナドハ後デ良ク記憶ヲ整理シテ申上ゲマスガ仝人ガ支那へ行ツタリ來タリスル旅費ナドヤ生活費ノ補助等デ是迄八、九百圓位ハヤツテ居リ、

同志水野成ニ對シテハ前後ヲ通ジテ三、四百圓位補助シテ居リマス

被疑者　尾崎秀實

右讀聞ケタルニ相違ナキ旨申立テ署名捺印シタリ

即日

於目黒警察署

警視廳特別高等警察部特高第一課

司法警察官

警部　高橋與助

司法警察吏

巡查　井上繁一

尾崎六ノ七

大日本帝國政府

昭和十六年十月十七日

尾崎秀實ノ供述要旨

檢事　吉河光貞

被疑者尾崎秀實ハ東京帝國大學法學部法文科在學當時ヨリ支那問題ニ興味ヲ懷キ大正十四年三月同科ヲ卒業シ翌大正十五年朝日新聞社ニ入ルヤ「ヴイツトホーゲル」著「目覺めつゝある支那」ヲ閲讀スルニ及ヒ深ク之ニ感銘シテ渡支ヲ希望スルト共ニマルクス主義諸文獻ヲ繙讀シタル結果所謂三。一五事件當時ナル昭和三年春頃ニハ遂ニ共產主義ヲ信奉シ爾來現在迄引續キ其ノ信念ヲ堅持シツツ表面ハ「リベラリスト」又ハ「フアシスト」タルカ如キ態度ヲ僞裝シ所謂二重生活ヲ營ミ來レリ。

大日本帝國政府

而シテ被疑者ハ昭和三年十二月朝日新聞社特派員トシテ渡支シ、昭和七年上海事變勃發直後迄上海ニ滯在シ居リタルガ右渡支當時ハ所謂支那國民革命直後ニシテ南京ニハ國民政府樹立セラレタルモ上海ニハ共產主義的潮流起伏シツヽアリ此ノ雰圍氣ノ裡ニ在リテ更ニ支那問題ヲ中心ニ各種マルクス主義文獻ヲ繙讀シ益々共產主義ニ對スル信念ヲ深ムルト共ニ現在中國共產黨（以下「中共」ト略稱）幹部毛澤東ニ從ヒ之ト行動ヲ共ニシ居レル米人共產主義者「アグネス・スメードレー」女史ヲ始メ東亞同文書院ノ日本人左翼學生佐野功等數名又ハ現在馬烈學院ノ副校長ナル王學文等「中共」關係者數名ト交際シ或ハ右東亞同文書院學生等ト自宅ニ於テ「本讀ミ」ヲ爲ス等「組織ナキコムニスト」トシテノ生活ヲ爲シ居リタルトコロ昭和四五年頃米國共產黨員鬼頭銀一ト知合ヒ同人等ノ紹介ニ依リ上海南京路所在ノ支那料理店冠生園ニ於テ初メテ前記スメドレー女史ノ知人ナル自稱「ジヨンソン」ナル外人（

後ニ「ゾルゲ」ト判明）ト知合ヒ同人ヲ「コミンテルン」關係者ト思惟シ爾後歸國スル迄ノ間一ケ月一回位ノ割合ニテ料理店又ハ右スメドレー女史宅等ニ於テ「ジヨン」ト面接シタルカ當時「ジヨン」ハ專ラ支那關係ノ情報蒐集ニ從事シ居リタルヲ以テ互ニ共產主義ノ立場ヨリ或ハ漢口ニ於ケル民衆暴動發生ノ可能性或ハ支那ニ於ケル共產主義勢力ノ動向等支那ニ關スル一般情勢及滿洲事變等ニ關シ情報並意見ヲ交換シ居リ愈々歸國ニ際シテハ「ジヨン」ニ對シ自分ハ日本ニ歸ヘリ「ジヤーナリスト」トシテ生活シ一應情勢ノ見極メヲ爲シタル上行動ヲ決定スル心算ニテ貴下ト一先ツ御別レスル旨申置キタリ

然ルニ被疑者ハ昭和十年晩春突然其ノ勤先ナル大阪朝日新聞社ニ於テ自稱南某ナル日本人（後ニ宮城興德ト判明）ノ訪問ヲ受クルヤ一時ハ自己ヲ檢擧ニ來タレル私服警察官ナラスヤト警戒シタルモ同人

大日本帝國政府

ヨリ上海テ貴下ト極メテ親交アリタル外人ヨリ頼マレ貴下ト連絡ヲ取リニ來タリタル旨聞知シ右外人ガ前記「ジヨン」ナルコトヲ察知シテ南ト共ニ料理店白蘭亭ニテ會談シ同人ガ米國歸リノ共產主義者ナルコトヲ知リ意ヲ決シテ茲ニ再ヒ「ジヨン」トノ面接ヲ承諾シ之ガ日時場所等ヲ詳細打合セタル上約一週間後奈良公園博物館前ノベンチ附近ニ於テ「ジヨン」ト面接シタルトコロ同人ヨリ「又一ツ大イニ日本ノ情勢ニ付手傳ツテ呉レ今度ハ支那デハナクテ日本ダ」ト申向ケラレタルヲ以テ豫テ豫期シ居リタル當然ノ事ト思ヒ之ヲ承諾シ日本ノ情勢並意見等ノ提供ヲ約シタリ斯クテ被疑者ハ昭和十年十月東京朝日新聞社ニ轉勤シタルガ爾來昭和十六年九月迄ノ間ニ亙リ前記「ジヨン」コト「ゾルゲ」及南コト宮城ト連絡シツツ情報並資料等ヲ探知蒐集シテ提供シ來タレルガ其ノ間宮城ヨリ同人ガ米國共產黨日本人部ノ幹部ニシテ從來多數ノ同志ヲ蘇聯モスコーニ送込ミタルモ自己ハ行ク機會ナカリ

大日本帝國政府

シ旨聞知シタルコトヨリ同人ガ「コミンテルン」ノ絶對支持者タルヲ知悉シ居リタルノミナラズ又「ゾルゲ」自身ヨリハ其ノ經歴地位等ヲ聞知セザリシモ叙上ノ如キ事情ヨリ同人カ「コミンテルン」本部員ナルヲ確信シ居リタルモノニシテ宮城ニ對シテハ舊知ノ間柄ナル前記共産主義者水野成等ヲ紹介シテ之ニ共同セシメ「ゾルゲ」ヨリハ「シユタイン」ナル外人ヲ補助的連絡者トシテ紹介セラレタル外「ゾルゲ」宅訪問ノ際其ノ補助的共同者ナル外人一名アルヲ認メタリ

然リ而シテ被疑者ハ日本ニ對スル其ノ共産主義的意圖實現ノ爲「コミンテルン」ト直接且確實ナル連絡アル「ゾルゲ」及宮城等ト「グループ」ニ參加シ同人等ト共ニ「赤色スパイ」トシテ諜報活動ニ從事スルコトニ依リ「コミンテルンルート」トノ直接的連絡ヲ斷絶セス「コミンテルン」ト相互ニ援助シ合ヒツツ將來蘇聯及「中共」ニ指導サルヘキ支那ノ諸勢力ヲ利用セントシ居リタルモノナリ

大日本帝國政府

被疑者ハ「ゾルゲ」カ「コミンテルン」ノ諜報機關ナレバコソ之ト身命ヲ賭シテ連絡シタルモノナル旨強調シ更ニ過去十年ニ亘ル自己ノ政治活動ガ事敗レテ檢擧セラレ「赤色スパイ」トシテ極刑ヲ免レサルハ既ニ覺悟シ居ルトコロナリト放言シ居ルモ事案ノ擴大ヲ極度ニ警戒シ他ノ共犯者等ニ就テハ容易ニ自供ヲ肯セサル狀況ナリ。

尾崎秀實供述要旨（其ノ三）

——客觀情勢ニ對スル認識所見——

特高第一課

尾崎秀実供述

十二月三日

客觀情勢ニ對スル認識並所見

一、自分ハ客觀情勢ヲ次ノ様ニ認識シ此ノ認識ノ下ニ、ソ聯及中國共産黨ヲ中心トシテ変貌サレタル支那並ニ一大転換ヲ経テ資本主義ヲ離脱シタル日本ヲ中心トスル所謂東亜新秩序社會ノ実現ヲ企圖シテ居タノデアル　即チ

第一点

今ヤ世界資本主義ハ完全ニ行詰リ何等カノ転換ヲ経ナケレバナラナクナッテ居リ既ニ其ノ中ノ弱イ環カラ其ノ転換ガ始ッテ居ルノデアル、即チ前欧洲大戦ノ時ニ内部的ニ弱カッタロシアガ共産主義ニ転ジタ、單ニロシア許リデハナク戦後直チニ現ハレタイタリーノファシスト国家一九三〇年代ニナッテハッキリシタ形ヲ採ッタドイツノナチ國家モ、要スルニ

夫レハ私ノ観点カラノ、世界資本主義崩壊過程ノ端的ナ現ハレト見ルノデアル

第二点

日本ガ立ッテ居ル東亜ノ情勢ヲ考ヘテ見ルニ、第一ノ点ニ照ラシテ、重要ナ点ハ東亜ガ世界資本主義最強ノ支柱デアル英米ノ制圧下ニアルト云フ事実デアル

吾々ノ観点カラシテモ、世界資本主義ノ崩壊過程ヲ促進セシムル為ニハ、ドウシテモ二、

英米ノ勢力ヲ打倒シテ、東亜ノ植民地、半植民地國家ヲ解放サセルト云フコトガ重要ナ意味ヲ持ツモノデアル、其ノ点カラ特ニ重要ナ点ヲ申セバ支那ノ解放ト印度ノ問題デアル

第三点

此ノ様ナ観点カラスル場合ニ日本ノ地位ト云フモノハ極メテ重要ナ問題デアル

トコロガ日本ガ私ノ云フ第一点ト関聯シ

テ見マスニ、確カニツレガ資本主義國ノ中ノ弱イ環デアルト云フコトガ云ヘルガ、其ノ方向性格ハ未ダ必ズシモ定マラナイト云フ重要ナ関係ニアリ、之ハ外交政策ノ上ニモ次ノ様ナ形デ反映シテ居ル即チ一方ニ於テハ英米追随的デアルガ、他方ニ於テハ、全体主義的ナ方向ヲ強ク指向スル矛盾等ニ現ハレテ居ル

三、

次ハ支那事変ガ勃発シタ時ニ私ハ、第一点ガ急速ニ進ム決定的ナ場面ニ際會シタト考ヘタコトデ、私ハ是ニ依ッテサシモ帝國主義ノ最大ノ支柱デアル英米モ遂ニ音ヲ立テテ崩レル時ガ来タト感ジ、ソレト同時ニ日本モ亦其ノ運命ヲ決定スベキ時期ニ」否応ナシニ際會シタ……之ヲモウ少シハッキリシタ言葉デ申シマスナラバ即チ日本ハ大キナ転換期ノ中デ否応ナシニ遂ニハ私ノ考ヘテ居ル様ナ完全ニ資本主義ノ環カラ離脱シタ新シキ秩序ノ日本ニ到達スルダラウト云フ見透シヲ持チ殊ニ第二次世界大戦ノ勃発スルニ及ンデ、此ノ私ノ予想ト云フモノガ間違無カツタト云フ自信ガツイタノデアル

第四点

トコロデ日本ノ現状ヲ見テ私ハ日本ノ社會ノ指導者ト云フモノハ完全ニ無力

卌

デアルカ或ハ低下シテ居ルカデアッテ此ノ大キナ時代ヲ通ジテ日本ヲ何レノ方向ニモ……即チ是迄ノ資本主義的ナ社會ヲ維持シテ行ケル力モナシ、又次ノ新シイ社會ニ國民ヲ持ッテ行ク力モ無イト云フコトヲ確信シタワケデアル。

二、自分ハ前述ノ如ク支那事変ガ勃発シ更ニ第二次欧洲戰爭ガ始マルニ至ッテ世界ハ吾々ノ見透シノ通リ資本主義社會崩壊過程ノ必然ニ向ツテ発展シテ居ルト云フ確信ヲ得タ、而シテ其ノ場合日本ガ如何ニシテ其ノ転換期ニ處シテ行クカト云フコトガ重要ナ点デアルガ其ノ場合日本ニ於テハ左翼ノカト云フモノヲ認ムルコトガ出来ナイ（無カナルガ故ニ）ソレデ私ノ意図スル転換期ノ形態トシテハ寧ニ角左翼勢力ノ無力ニ依リ左翼運動ノ形デ持ツテ行クコトガ出来ナイ限リハ其ノ當面ノ形態トシ

五、

テ革新運動ガ或ル程度迄進ンデ居ル日本ノ現実状勢ニ従ッテ、之等革新勢力ヲ利用シテ、恰モ、ロシア革命ニ於ケル所謂ケレンスキー政権的役割ヲ果サシムルコトガ必要デアルト思惟シテ居ッタノデアル、

而シテ此ノ過渡的ナ日本ノ革新運動ト云フモノハ仮令極メテ、日本的ナフアッショ的ナ形態ヲ採ラウトモ　尠クトモ今ノ支配階級ガ形造ッテ居ル政治勢力ヨリハ吾々

ノ意図スル世界ヘノ進歩ノ上ニ於テノ或ル役割ヲ果スモノデアルト考ヘタ、其ノ理由トシテハ、結局今日以後ノ日本ノ政治経済的條件デハ民衆的ナ勢力ヲ全然無視シテハ何事モ成リ立チ得ナイト云フ（條件ニナッテ居ルト云フ）点カラ見テ、斯ルファッショ的ナ勢力ト異モ此ノ民主々義的ナ勢力ヲ取リ上ゲザルヲ得ナイダラウカラ現在ノ様ナ困難ノ加重サレタ時代デハ現状維持的勢力ヨリハ歴史的ナ意味ノ多イモノデアルト考ヘルカラデアル、ダカラ日本ノ様ニ左翼的勢力ガ結成サレテ居ナイ現状ニ於テハ社會的混乱ヲ経テ直チニ新シイ社會ガ実現スルト云フコトハ望マレナイ、従ッテ斯カル條件ニ於テハ中間的ナ過渡的ナ勢力ノ抬頭ヲ決シテ排斥スベキモノデハナイ、夫レト關聯シテ別ナ観点カラ日本ノ北ノ新シイ社會ヘノ転換ガ行ハレル條件ヲ考ヘマスト地理的ニハ日本ノ東亜ニ於ケル地位ト云フモノデアリ、　時期的ニハ日本ガ支那及ビソ聯ト敵對関係ニアルト云フ條件デアル、夫レデ私ハ結局ニ於テ日本ガ其ノ転換ヲ為スノニ此ノ二ツノ條件ヲ考慮ニ入レテ考ヘルト全ク今ト反対ナ方向……………即チ東亜ニ於ケル日、ソ、支三國ノ緊密ナル諒解提携ト云フコトニ至ラナケレバ　此ノ日本ノ重要ナ転換ハ日本丈デハ行ヒ難イシ又行ツテモ安定シナイト考ヘルシ　又英米帝國主義國トノ敵対関係

七、

ノ中デ日本ガ其ノ様ナ転換ヲ遂ゲル為ニ
ハ日、ソ、支ノ提携ハ絶対ニ必要デアルト考
ヘル。而シテ其ノ場合ニ於テ実際問題ト
シテ、力関係カラ見テ役立ツモノハ革命
以来養ッテ来タ、ソ聯ノ実力デアラネバナ
ラナイ　其処デ私ノ密カニ考ヘテ居タノハ
自分ガ幸ニシテ十年来コミンテルン乃至
ソ聯邦機構ノ有力ナ部門ト密接ニ結ビ付
イテ居ルト云フ事実デアリ私ハ願クバ此ノ

關係ヲ飽迄離サズニ總テ来ルベキ時期ニ、私ガ屡々申述ベテ居ル様ナ目的ニ沿フ様ニ此ノ線ヲ活用シ度イ、…………ツマリ此ノ事ヲモツト具体的ニ云フナラバ、日本ノ國内ノ革命的勢力ハ非常ニ弱イカラ、其ノ時期ニ於テハ、ソ聯ト、支那（但シ其ノ場合ノ支那ハ今ノ支那ノ様ナ形態デハナク、中國共産黨ガ完全ニヘゲモニーヲ取ツタ形ノ支那）ノ援助ヲ受クルコトヲ期待シテ居タノデアリ而モソレニ付テ私ハソ聯トノ關係ハ只今申述ベタ通リデアルシ、其ノ場合ニ於ケル支那トノ提携ニ付テモ亦充分ナル自信ヲ持ッテ居タノデアル、

更ニ、又私ハ斯ル時期ニ於テハ北ノ日、ソ支三國ノ外ニ、インドヲ初メ東亜植民地民族ノ民族共同体ト云フモノノ樹立ト云フコトヲ同時ニ其ノ過渡的形態トシテ、日、ソ、支三國ノ外廓的形態トシテ持ツコトガ必要デアル

ト考ヘテ居ルガ夫レハアジア全体ノ勢力ヲ
強メルト云フコトト同時ニ、英米帝國主義
ヲ崩壊セシムルト云フ意味デモ必要ナコト
デアルカラデアル。
又ソレト同時ニ内外蒙古ヲ列ネタ民族
ノ共同体ト云フコトガ考ヘラレ、満洲國ハ
新シイ共産社會トシテノ舞台ニ置キ換ヘテ
見タラドウカト云フ意図ヲ持ッテ居リ
朝鮮ニ付テハ、朝鮮ガ日本民族ノ一部分

九

トナルカ、或ハ朝鮮民族國家トシテ獨立サセルカト云フコトハ其ノ時期ニ於ケル東亜全域ノ經濟的、國防的全体ノ觀点カラ決定サレルモノデアルガ尠クモ其ノ場合高度ノ民族的自治ガ與ヘラルベキデアルト考ヘテ居ル、

私ノ称スル所謂東亜新秩序ト云フノハ斯ル意圖ニ於ケル東亜新秩序デアルガ此ノ点ニ付テハ~~別ノ項目~~追ッテ詳シク述ベルコトニスル、

三、私ハ國内外ノ情勢ニ對シ斯様ナ認識ト信

念トヲ持ッテ居リ然モ斯ノ如キ意義ヲ持ツ新シキ社會ヘノ第一歩デアル日本ノ転換ハ支那事変ヲ中心トシテ早ケレバ来年（昭和十七年）ノ上半期カ下半期カラハ抑ヘ難イモノトナッテ現ハレテ来ルダラウト云フ見透シヲ持ッテ居リ此ノコトハ、本年（昭和十六年）七月頃ニ於テ　ヅルゲニモ話シテアル程デアル、即チ日本ガ本年（昭和十六年）八月一杯遅クモ九月始メ迄ニ対ソ戰爭ヲ

十、

ヤラナケレバ南方ニ進出スルダラウ。若シソレガ出来ナケレバ完全ニ、アメリカニ屈伏スルト云フコトニナルガ、日本ガ南進政策ヲ採ラウガ、対米英協調政策ヲ採ラウガ其ノ結果ニ於テハ私ガ先ニ述ベタ崩壊ノ過程ヲ辿ルコトニ変リガ無イガ何レガ其ノ促進度合ガ強イカト云フコトハ容易ニ判断ガツカナイ、其ノ理由ハ、

南進政策ノ強行ニ依ッテ其ノ促進度ヲ強

メルト思フコトハ何ト云ツテモ猛烈ナ消耗
（物的ニモ、人的ニモ）ト云フコトニアルガ、然シ
ソレニハプラスノ面ガアリ、ソレハ國民ノ
人心ヲ一ツニシテ奮起サセルコトトモウ一ツ
ハ當面ノ軍事的成功ノ可能性ガ多イト
云フコトデアル、デアルカラ私ハ之レハ結局持
久戦ノ形デ二年位ハ持チ堪ヘラレルト思フ
之ト反対ニ日本ガ対米英協調政策ニ出デタ
場合ヲ考ヘテ見ルト　ソレニ依ツテ一応現在ノ

十二

日本ノ経済的困難ヲ緩和スルト云フ様ナ期待ガアリ得ルモ其ノ結果トシテ國内人心ノ萎縮、國内輿論ノ不一致ト云フモノガ直チニ現ハレテ来ルシ、経済界ノ不況ガハッキリ現ハレテ来ルツマリ統制ノ逆転ト云フコトニモナル、尚何ヨリモ悪イ條件ハ日本ノ外交政策ノ失敗……支那事変ノ全面的ナ失敗ヲ容認セザルヲ得ナクナルト云フコトデ之レハ日本ノ上層階級ノ指導力ノ喪失ヲ意

味スルコトデアル、　即チ斯ク観ジ来レバ、何
レノ政策ヲ採ルコトガ其ノ崩壊過程ノ促進
度合ヲ強クスルカ容易ニ判断ニ苦シムトコロデ
ハアルガ、日本ニハ其ノ二ツヨリ外行キ道ガ無ク
而モ其ノ何レノ政策ヲ採ツタニシテモ総テ
其ノ行詰リカラ日本ノ今ノ指導者ハ必ズ破産
シテ其ノ指導力ヲ喪失スルコトニハ変リガナ
ク、其ノ場合興ツテ来ルノハ先ヅ自覚的革新
分子デアル、故ニ吾々ハ之等ノ革新分子トハ

十三、

結局ハ別レナケレバナラナイコトハ勿論デアル
ガ其ノ過渡期ニ於テハ其ノ勢力ヲ利用シ或ハ
自分自身其ノ勢力ノ中ニ入ッテ之ト共同ス
ル心算デ居ッタノデアル、

以上

尾崎秀實供述要旨（其ノ四）

—支那事變処理問題ニ就テ—

特高第一課

√

十二月二十二日、二十七日

支那事変処理問題ニ就テ　尾崎供述

一、支那事変処理問題ニ就テノ活動

(1) 私ハ昭和十二年七月七日ノ蘆溝橋事件ノ勃発ヲ聞イタ時、早クモ色々ナ観点カラ（既報十二月二十日供述其他）之ハ世界的規模ヘ発展スル――ツマリ世界的動乱ニ迄発展スル必然性ヲ持ツモノデアルトノ見透シヲ付ケタノデ同年七月十一日北支派兵ニ関スル緊急閣議が行ハレルト云フ時早速社（東京朝日新聞社）ノ自動車デ首相官邸ニ行キ予テカラ昭和研究会ノ関係デ知ッテ居ノル風見内閣書記官長ニ此ノ意味ヲ警告スルツモリデ面會ヲ求メタガ風見氏ニハ私ノ云ハントスルトコロノ意味ガ通ジナイモノラシク立チ話デ却ッテ

「スッカリ決意ガ出来テ居ルカラ心配ハ無イ」

トノコトデアッタノデ私ハ

「デハ切角御奮闘ヲ祈リマス」

ト述ベテ別レ、更ニ牛場秘書官ニ面會ヲ求メテ此ノ私ノ懸念ヲ述ベテ退出シタ

其ノ後同年暮私ガ東京朝日新聞社ノ社命デ上海、香港ニ出張シタ際

一、二回簡單ナ意見及情報ヲ風見書記官長ノ手許ニ寄セタト記憶スル

(2) 昭和十三年七月近衛内閣ノ嘱託トナッテカラ間モナク風見書記官長カラ支那事変処理ニ付テノ意見ヲ提出スル様ニトノ命ガアッタノデ私ハ取敢ヘズ数枚ノ意見書ヲ書イテ風見書記官長ノ手許ニ提出、更ニソレヲ當時朝飯會デモ報告シタコトニ付テハ既ニ述ベタ通リデアルガ（既報「朝飯會ニ就テ」参照）私ハ政府及ビ軍部ノ考ヘテ居ル支那事変処理方策ガアマ

2

リニモ支那ダケニ局限サレ且ツ一方的ニ処理ノ急速ナ可能性ヲ當然ナコト、シテ立テラレテ居ルノニ驚クト共ニ私ノ正直ナ意見ナドノ到底用ヒラルベクモナイコトヲ悟ツタノデ其ノ後ハ政府ノ既定方針ニ沿ツタ局部的ナ意見ヲ立テルト云フ方針ヲ採ツタノデアル

(3) 昭和十三年五月宇垣外相ノ登場ト共ニ政府ノ方針ハ対英妥協ニ依ツテ支那事変ヲ切リ上ゲントスルニ傾イタモノト思ハレタガ、同年八、九月頃私モ更ニ内閣カラノ求メニ

應ジテ対英妥協案ト称スベキ私案ヲ作成提出シタ。其ノ要旨ハ日本ハアメリカニ牽制サルヽコトナク專ラ英國ノ現有スル対支權益ノ實利ノ線ニ沿ッテ交渉ヲ進メルナラバ其ノ可能性アリト断ジイギリスノ商業、投資、貿易ノ利益尊重ヲ基礎トシテイギリス在支商人、浙江財閥等ヲ牽引シテ蒋介石ヲシテ妥協ニ出デシムベキデアルコトヲ説キ其ノ具体的方式トシテハ在支日、英事業ノ提携合同案ヲモ含マセタモノデアッタ。然シ私ノ此ノ意見ガ政府

3

ノ支那事変処理方策ーー宇垣外
相ノ対英交渉ーーノ上ニ如何ニ取リ
入レラレタカト云フ様ナ点ニ付テハ
聞イテ居ナイ
元来対英協調ニ依ル支那事変ノ
処理方策ト云フモノハ理論的ニハ
充分ニ其ノ成立ノ可能性ノ存スルモ
ノデアルガ然シ私ハ國内情勢殊ニ
其ノ反英的気分ノ濃厚ナルニ鑑
ミテ政府ノ対英協調ニ依ル支那
事変処理方策ト云フモノニ対シ
テハ最初カラ其ノ成功ノ可能性
ナシト密カニ信ジテ居リ、ゾルゲ
ニ対シテモ始メカラ其ノコトヲ明

言シテ居タノデアルガ、果セルカナ之レハ宇垣外相ノ失脚トナッテ終ッタ

(4) 一面昭和十三年夏頃カラ汪兆銘工作ガ本格的ニナッテ来タ此ノ汪兆銘工作ニ付テハ既ニ詳シク述ベテアル通リデ(既報十二月五日同二十六日ノ供述参照)元来此ノ運動ハ松本重治ガ橋渡シ的役割ヲ為シタト思ハレルガ軈テ犬養健、西園寺公一等之ニ加ハリ恰モ近衛公ノ自家製ノ運動ノ如キ形トナッテ発展シタモノデアル

私ノ真ノ意図カラスレバ勿論此ノ

4

汪兆銘工作ニハ反対デアリ且ツ又此ノ工作ニ依ッテノ事変処理ノ可能ヲ信ズルモノデハナカッタガ当時内閣嘱託トシテノ立場及ビ西園寺公一、犬養健等トノ関係上其ノ運動ノ内部事情ニモ通ジ其ノ運動ニ沿フテノ種々ナル意見モ述べ、又評論家トシテノ立場カラハ可ナリ批判的デハアッタニシテモ一般ニハ此ノ運動ノ支持者ナルカノ様ナ印象ヲ与フルガ如キ態度ヲ採ッテ来タノデアル

（ケ）

昭和十三年秋以後北支開発、中

(6)

支那振興ノ二會社ノ設立問題、興亜院ノ設立等ノ問題ガアッタガ之ハ主トシテ岸秘書官ノ斡旋スルトコロデアッテ私ハ殆ンドソレニハ関係ヲ持タナカッタ

昭和十三年十一月三日ノ所謂近衛声明竝ニ同月二十二日ノ汪兆銘工作ニ照應スル更生支那トノ國交調整ニ関スル声明ニ付テハ共ニ當時ノ近衛首相ノ対支意見ニ最モ適當ナル表現ヲ與ヘルモノトシテ内部ニ定評ノアッタ中山優氏ノ原案ニ據ッタモノト記憶スル尤モ後者ノ場合ニハ数種ノ原案ガ有

分

ツタガ結局中山氏ノモノトナリ、牛場秘書官主トシテ其ノ改作ニ當リソレニ陸海軍カラノ注文意見モ加ヘラレ最後ニ近衛首相自身ノ加筆ニ依ッテ成ッタモノト記憶シテ居ル私ハ後者ノ場合牛場秘書官ノ手許ニアッテ改作中ソレニ対シ單ナル技術的ナ意見、字句上ノ意見ヲ述ベタ程度ニ止ッテ居ルソレハ私ハ此ノ種ノ対支意見ナリ対支声明ナリハ單ナル國内的ゼスチュアニ過ギズ支那問題ノ発展ハ日本自身ノ意圖如何ニ拘ハラズ別個ノ方向ヲ採ルベキモノト観察シテ居リイハバ言葉ダケノ問題タルノ感ヲ抱イテ居タカラデアル此ノ点ニ関シテハゾルゲモ亦私ト同感デアリ単ナル形式的ナ声明ナドニハ余リ重点ヲ置カナカツタ様デアル

(7)

以上ハ主トシテ私ノ内閣嘱託（昭和十三年七月ヨリ同十四年一月四日迄）トシテノ面ニ於ケル関係デアルガ他面所謂評論家トシテノ活動ニオイテハ昭和十一年十二月ノ西安事変以来、支那問題ノ意義ト其ノ日本ニ及ボスベキ影響、其ノ世界的変革ノ過程トシテノ持ツ意義ニ付論

ジタコトハ例ヘバ
「中央公論」「改造」「大陸」「東亜解放」
等ノ諸雑誌ノ論文
「都」「時事」「読売」「同盟通信」
「四社聯盟」（北海タイムス、福岡日日、新愛知外一社）
等新聞紙上ノ短評、時評等ヲ通ジテ枚擧ニ遑ガナイ程デアリ此ノ点啓蒙活動トシテノ功労ハ自負シテヨイト思フ而シテ此ノ場合論旨ノ主眼点ハ時期的ニ変化シテハ居ルガ次ノ諸点デアッタ

第一

支那問題ガ世界史的轉換ノ重要ナル一契機タル可能性アルコト

第二

日本ハ支那事変完遂ノ為ニハ英米ト決戦ヲ試ミナクテハナラナイコト

第三

蒋政権ハ英、米ノ傀儡ナリトシテ終始之ヲ攻撃セルコト（民族運動ニ対スル役割ハ認メナカッタ）

第四

中國共産党ニ付テハ多ク言及セズタダ其ノ民族運動ノ指導勢力タルコトヲ明カニセルコト

第五

ワ

ソ欺ニ付テハ殆ンド觸レズイハバ踏ミ繪ヲ回避スルガ如キ態度ヲ採ッタコト

第六

汪兆銘運動ニ付テハ局部的意義ヲ認ナ作ヲ之余リ之ヲ持チ上グルコトヲセズ、汪ニ意深キ諸者ニハ私ガ殆ンド此ノ政權ノ前途ニ期待ヲ置イテ居ナイコトガ理解サレル様ナ態度ヲ採ッタコト

第七

支那事変ノ完遂ハ日本自身ノ自己革新ヲ伴ハズシテハ其ノ行ハレ難キコトヲ屡々強調セルコト（但シ之ハ

抽象論以上ニハ出ナカッタ。ツマリ茲迄
ハ凡テノ革新論ノ共通領域デアッタ
カラデアル）
等デアリ、東亜協同体論、東亜聯盟論
ニ付テモ其ノ時々留保附乍ラ賛意
ヲ表シタノハ之等ノ論ハ尠クトモ従
来ノ露骨ナ帝国主義的大陸経略論
ニ対スル反省ヲ含ムモノト考ヘタカラ
デアッタ　其ノ他特ニ支那事変勃
発以後ニ於テハ例ヘバ
中央大學、高知高校、浜松高工、九
州帝大、東京帝大成人講座、厚生
省連続講座、地方教育會（長野縣
下其他）、地方産業組合関係、地方青

8

年団体、翼賛会関係
等学校、教育会、青年団体、翼賛
會、官廳関係、公共団体等ニ於テ多
数ノ講演ヲ行ツテ居リ其ノ要旨ハ
只今述ベタ執筆活動ノ場合ト殆
ド同様デアツタト云ヘルガ更ニ細
別スレバ學校、教育會等ニ於テハ事
實ニ即シタ解説的啓蒙的ナ態
度ヲ特ニ多ク取リ入レ青年団体
翼賛會等ノ関係ニ於テハ革新的
ナ基調ヲ多ク取リ入レルト云フ態度
ヲ採ツタノデアル

(8) 尚茲デ以上ノ事柄ニ対シテノ私ノ
立場ヲ説明シテ置ク必要ガア

ル
私ハ支那事変処理方策ニ関シテハ全体トシテ従来政府ガヤッテ来タコトナリ或ハ其ノ云ハントスルコトハ屡々述ベテアル様ナ私ノ根本的立場ヤ私ノ見透シカラスレバ全ク相容レナイモノ乃至甚ダ間違ッテ居ルト思ハレル場合ガ多カッタ否寧ロ總テノ場合ガソウデアッタ然シ乍ラ自分ノ立場ヲ巧ニ擬装スル為、或ハ夫々ノ客観状勢ヲ利用シ便乗スル為ノ必要等カラ例ヘバ内閣嘱託等トシテ政府ノ仕事ニ協力スル場合等ニハ

9

全体トシテ其ノ意向ニ沿ッテ
自分ノ意圖ヲ伏セテ極部的
技術的作タソレニ協力スルト云
フ態度ヲ採ッテ居タ即チ私
ハ眞ニ意圖スルトコロノモノハ
其ノ一日モ早カルベキ世界資本
主義国ノ崩壊デアリ其ノ最強
ハ環デアル英米資本主義国
ノ打倒デアルニ不拘、宇垣外相
時代内閣囑託トシテ求メラル、
マ、ニ支那事変処理ニ関シ対
英妥協ノ私案ヲ作成提出セル
ガ如キ（而モ所謂評論家トシテノ
立場カラハ執筆、講演等ヲ通ジ

常ニ対英米打倒ヲ強調シ居リタルニモ不拘）或ハ本質的ニ反対デアル汪兆銘、工作ニ対シテモ一見之ヲ支持スルガ如キ立場ヲ採リ来レル如キソレデアリ其ノ他執筆活動、講演等ノ場合ニ際シテハ概ネ一般革新論者ト同一ノ態度ヲ採リ當局ノ検挙ヲ避クル為コンミニスト的筆致ヲ極力避ケテ来タ点等ニ関シテハ既ニ申シ述ベタ通リデアル（既報十二月三日供述）執筆方針其ノ他参照）

二、當局ノ支那事変処理方針ニ対スル批判並ニ展望

10

(1)

支那事変ハ始メニ於テハ日本ノ政府当局ニ於テ其ノ世界的動乱ヘト発展スル必然性ヲ持ッテ居ルト云フコトハ容易ニ理解サレズ或ハ局地解決ヲ希望シ或ハ小出シニ拡大シテ行キ遂ニ全支的長期的規模ニ至ラシメタコトハ確カニ其ノ見透シヲ誤ッタモノデアル日本当局ハ此ノ点カラシテ或ハ局地的政権（維新政府、臨時政府、汪政権等）ヲ建テ或ハ蒋介石トノ直接交渉ヲ試ミ或ハ世界列強（ドイツ、イギリス最後ニハアメリカ）ノ仲介ヲ考ヘナドシテ何レモ失敗ニ帰シタ現在迄日本ガ現地ニ行ヒツヽアル

政策ハ個別的ニハ成功ノモノアリトスルモ全体的ニハ成功デハナイト思惟セラレル

(2) 然シ乍ラ遂ニ日本モ支那問題ノ解決ガ世界戦争ノ争覇ニ依ッテノミ解決サルベキ事實ヲ明確ニ認識セザルヲ得ナカッタノデアリ此ノコトハ当然デアル 日本ノ経済余力ト其ノ優レタル武力トガ一応問題解決ノ鍵トナルコトハ確カデアラウソコデ当面ノ予測ヲ試ミレバシンガポールガ陥落シ フイリッピン 香港等ノ奪ハレタ後 重慶ノ抗戦意思ハ急激ニ減ズルデアラウ此ノ場合ニ

11

ハ汪政權ト雖モ奥地ニ対スル牽引カヲ発揮シ得ル殊ニ重慶ノ抗戰力ノ限界ハ既ニ其ノインフレーションノ悪性化ニ依ッテ到達セラレテ居ル更ニ日本ノビルマ進出ニ依ッテ恐ラク重慶ハ崩壊スルニ至ルデアラウ然シ乍ラ此ノコトハ直チニ支那ガ日本ノ欲スル如ク制圧下ニ入ルカト云ヘバソウ断ジ得ナイ寧ロ其ノ後ニハ支那全土ニ相当ナ混乱ガ見ラレ汪政權ハ勿論之ガ解決能力ヲ缺キ日本ガ一切ノ処理ヲ担当セザルヲ得ナクナルデアラウ此ノ間中国共産党ノ勢力ハ伸張ス

ル可能性アリト思ハレル勿論支那問題ハ只今述ベタ通リ日本ガ英米トノ争覇ニ勝チ得ルカ否カニ一應ノ解決ガ懸ッテ居ル日本ガ一カバチカ打ッタ大芝居ト南方圏ノ再分割ニ成功スルカ否カニ懸ッテ居ルノデアルガ結局私ノ展望ヲ申スナラバ日本ハイギリスヲ打倒シテ少クモ東亜民族解放ノ端緒ヲ作ル歴史的大事業ヲ果スコト、ナルデアラウガ然シ結果ニ於テソレハ日本ノ現在ノ支配層ガ考ヘテ居ル如キ帝国主義的再分割ニ終ルモノデハナク私ノ云フ意味ニ於テノ所謂東亜ノ新秩序ヲ導入ス

12

ル端緒トナルニ到ルデアラウ（支那ニ於ケル革命情勢ノ発展、日本経済力ノ破綻、欧洲内部ニ於ケル革命情勢ノ発生、ソ聯ノ役割等ノ諸條件ニ依リ）而シテ之ハ私ノ一生ヲ賭シタ丁史的法則ノ解釈展望デアル。

175〔包紙「ゾルゲ事件」〕

ゾルゲ事件（川合、水野、西園寺
宮城、田中）

2

第二回被疑者訊問調書

被疑者　川合貞吉

右者ニ對スル國防保安法並治安維持法違反被疑事件ニ付東京刑事地方裁判所檢事玉澤光三郎ノ命令ニ因リ昭和十六年十月二十八日錦町警察署ニ於テ司法警察官警部補小俣健ハ司法警察吏巡査鈴木利兵衛立會ノ上右被疑者ニ對シ訊問スル事左ノ如シ

一、問　被疑者ノ犯罪前歴ハ如何

答　先日申上ゲタ通リデアリマス

一、問　被疑者ノ共產主義信奉過程ノ概要ハ如何

答　昭和三年三月支那ニ興味ヲ持チ支那研究ヲシテ將來支那通ノ新聞記者ニナル考ヘデ鐵心會當時ノ知人

薩摩雄次

ノ紹介デ北京新聞社及燕塵社ノ經營者鷲澤與四二ト會ヒ其ノ希望

望ヲ打チ明ケテ同人ノ紹介ニヨリ北京新聞社ヲ頼ツテ渡支シマシタ
偶々北京デ

満洲日報特派員　大矢信彦

北京新聞社員　里見甫

等ト知リ合ヒニナリマシタガ當時同人等ハ太平洋勞働會議ニ初メテ支那ニ召集シタ

鈴江源一

等ノ左翼運動家ト連絡ガアリマシタノデ私モ同人ト接衝スル様ニナリ漸次共産主義ニ關心ヲ持ツト共ニ支那共産主義革命ニ參加セント決意スル様ニナリマシタ、其ノ様ナ結果偶々昭和四年春頃安倍公館ノ事務員

小松重雄、副島龍起

及同人等ノ友人

手　島　博　雄　外二三人

ト共ニ

支　那　左　翼　文　獻

ヴアルガノ經濟年報

ブリーハンノ著書

資　本　論

其他ヲ讀ミ合フ様ニナリ共產主義ノ相互啓蒙ニ努メ、一面支那ニ於ケル政治、經濟、外交、軍閥等ノ實性ヲ分析シテ支那共產主義革命ヲ如何ニ導カネバナラヌカヲ研究致シマシタ

次イデ之等ノグループハ昭和五年初旬小松ガ上海滿鐵分處勤務ヲ契機トシテ上海ニ集リマシタガ、間モナク同地デ左翼理論家

田　中　忠　夫

ノ指導ヲ受ケル様ニ、次イデ同人等ヲ通ジテ中國共產黨ノ

王　學　文、　揚　　姜

等ノ指導ヲ受ケテ

河上肇著　辨證法研究會

ヲ持ツ樣ニナリマシタ

斯クテ同年末ニハ其ノ實踐團体トシテ

日支鬪爭同盟

ヲ結成シソレニ關スルビラ撒キ等ヲ行フ樣ニナリマシタ

當時ニ於ケル中國共產黨ハ

李立三コース

首占勝利

ノ方針ヲコミンテルンニ依ツテ承認サレ

中國共產黨ハ支那ヲ中心ニ捲キ起サルベキ世界第二次大戰ヲ

プロレタリアートニ依ル世界革命ニ導クベク當面一省若クハ

數省ニ於ケル共產主義政權ヲ樹立シ之ヲ蔣介石國民黨並ニ各

國帝國主義ヨリ防衞スベシ

トノ任務ヲ持ツテ居リ在支日本人左翼ハ之ヲ支持協力スル爲メノ諸活動ヲ爲シテ居リマシタ

即チ其ノ間

コミンテルン（國際共産黨）ハ世界ニ於ケルプロレタリアートノ獨裁ヲ樹立シ共産主義社會ヲ實現セントスル結社ニシテ各國共産黨支部ハ其ノ一環トシテ革命的手段ニ依リ其國ニ於ケル目的タル事項ヲ達成セントスル結社デアリ

日本ニ於ケル共産黨ハ革命的手段ニヨリ其ノ目的タル國体ヲ變革シ私有財産制度ヲ否認シテ共産主義社會ヲ實現セントスル秘密結社

タル等ノ認識ヲ得マシタガ斯クテ日支鬪爭同盟ハ其ノ一環トシテ結成サレタモノデアリマス

川合貞吉

右讀ミ聞ケタルニ事實相違ナキ旨申述べ署名拇印シタリ

同日於錦町警察署

警視廳特別高等警察部特高第一課

司法警察官　警部補　小俣　健

司法警察吏　巡査　鈴木利兵衞

第三回被疑者訊問調書

被疑者　川合貞吉

右者ニ對スル國防保安法並治安維持法違反被疑事件ニ付東京刑事地方裁判所檢事玉澤光三郞ノ命令ニ因リ昭和十六年十二月七日錦町警察署ニ於テ司法警察官警部補小俣健ハ司法警察吏巡査鈴木利兵衞立會ノ上右被疑者ニ對シ訊問スルコト左ノ如シ

一、問　被疑者ノ共產主義運動ニ於ケル經歷ノ大要ヲ述ベヨ

答　昭和三年三月渡支後北、支那北京ニ於テ安倍公館ノ同志其他ト共ニ支那共產主義革命參加ノ目的ヲ以テ共產主義研究ノグループヲ形成シテ居ツタ事ハ先日申上ゲタ通リデアリマシタ

然ルニ昭和五年初旬頃偶々グループノ中心デアリマシタ、

安倍公館員

副島龍起

手島博雄　外二、三人

等ガ後任石川事務官ト對立シテストライキヲヤツタ事カラ之等ヌ

ンバーガ總辭職トナツテグループハ自然解消ノ状態ト大リマシタガ
ガ當時既ニグループノ指導者デアツタ

小松　重雄

ガ之ニ先立チ當時上海ニ居ル楠樣ヲ頼ツテ南支那方面ニ於テ活動スベク南京滿鐵公處ニ勤務シテ居リマシタ、グループメンバーハ何レモ同人ト連絡ヲトリ同年春頃ニハ小松ガ滿鐵上海公處轉勤ト同時ニ再ビ同人ヲ中心ニ上海ニ集マル樣ニナリマシタ、當時北支カラ上海ニ來タグループメンバーヲ申上ゲマスト

小松重雄、副島龍起、手島博雄
日高爲雄、私

等デアリマシタガ、何レモ小松ノ斡旋テ同地ニ就職シ私モ上海週報社ニ勤務スル樣ニナリマシタ
グループハ常ニ小松ヲ中心トシテ會合シテ居リマシタガ非常ニ張リ切ツテ居テ積極的ニ同志ノ獲得ト組織ヘノ連絡ヲ求メテ居リマシタ、

其ノ后間モナク小松ガ當時上海デ左翼理論家トシテ有名デアッタ、田中忠夫及ビ同人ノ同居先支那左翼理論家

溫　盛　光　ト連絡スル樣ニナリマシテ溫方デ田中忠夫ヲ指導者トシテ

河　上　肇　著　唯物辨證法

ヲテキストトシタ

田　中　忠　夫、溫　盛　光、小　松　重　雄、私

等ノ研究會ヲ持ツ樣ニナリマシタ、次イデ此ノ研究會ニハ同年秋頃迄ノ間ニ於テ北支カラ南下シタ私達ノグループメンバー

副　島、手　島、日　高　及ビ田中忠夫

ノ連絡ノアッタ、東亞同文書院學生

安　齋　庫　治、白　井　御　幸、水　野　成

更ニ、田中、溫、小松ノ知人デ左翼デアッタ、

上海每日新聞社員　岩　越　某

上海毎日新聞社員　船越壽雄
上海日報新聞社員　西里龍夫
溫盛光、田中忠夫ト連絡ノアッタ中國共産黨關係
王　學　文、揚、姜、
等ガ參加シ、田中忠夫及王學文ガ研究會ノ指導者ニナリマシタガ
組織的ニハ中國共産黨ノ指導下ニ立ツ樣ニナリマシタ、

一、問　被疑者ハ當時王、揚、姜等ノ中國共産黨ニ於ケル地位ヲ如何ニ聞知シ居タルヤ

答　同人等ハ何レモ中國共産黨ノ關係者デアリマシタガ當時
王學文　ハ　中國共産黨幹部
姜　ハ　中國反帝同盟並ニ中國共産黨青年同盟代表
揚　ハ　中國反帝同盟幹部並ニ中國外兵委員會責任者
ト云フ樣ニ聞イテ居リマシタ、

一、問　當時ニ於ケル中國共産黨王學文等ノ研究會ニ對スル指導方針ハ如何

答

本研究會ハ構成メンバーガ日本人ノミデアリマシタカラ、中國共產黨ノ指導ヲ受ケル事ニ就イテハ一時異論ガアリマシタ、併シ窮極ニ於テハ在支日本人左翼トシテ當面支那共產主義革命ヲ支持スヘキ正當性ヲ認メ

李立三コース首占勝利

等中國共產黨ノ方針ヲ支持シ

在支日本人ヲ左翼的ニ獲得シ中國革命勢力ヲ日本帝國主義、蔣介石國民黨ヨリ防衞スベキ諸闘爭ヲ組織スル

ト云ツタ樣ナ使命ヲ帶ビル樣ニナリマシタ

其ノ結果昭和五年十一月頃中共（中國共產黨）王學文等ヨリ其ノ實踐活動ニ入ルベキ旨ヲ指令サレ、研究會ニ於テハ諸論議ノ末十一月初旬研究會メンバーヲ中心トシ

小松重雄、副島龍起、私、

手島博雄、岩越、西里龍夫、

日高為雄、格某、

等ニ依ツテ實踐團体

日支闘争同盟ヲ結成致シマシタ、

此ノ時東亜同文書院學生等ガ本組織ニ參加シナカツタノハ、既ニ同人等ハ以前ヨリ中共ノ指導ニ於テ上海市江南地區ニ所屬シテ居タカラデアリマシタ、

又船越壽雄ガ參加シナカツタノハ其後私ガ尾崎秀實ヲ通ジテ、コミンテルンノ諜報活動ヲ為ス様ニナツテ同人カラ

船越ハ取ツテ置ク積リダツタ

ト云ハレテ不參加ノ理由ガ判ツタ次第デアリマシタ

斯クテ闘争同盟ハ其後中共ノ指令ニヨリビラ撒キ行動隊ヲ組織シ十一月七日ヨリ一週間「努力週間」中日支闘争同盟及中共署名ノビラヲ日本人街ニ撒布シマシタガ其ノ間中共ノ指導者王學文ハ日支闘争同盟員ニ中共入黨ヲ勸誘シ同盟デハ全体會議ノ結果時期尚

早ヲ理由ニ入黨ヲ回避致シマシタ其ノ間ビラ撒キ行動隊中ノ

岩越、格、

等ガ檢擧サレ東亞同文書院ニ於テモ多數學生ガ檢擧サレマシタノデ同盟內ニ動搖ヲ生シ昭和六年一月迄ノ間ニ

西里ハ東京

私、小松、日高ハ北支那北京ニ逃避シ上海ニハ

手島、日高

ガ殘留シテ自然消滅ノ狀態トナリマシタ

一、問　日支鬪爭同盟後ニ於ケル運動經歷ハ如何

答　私ハビラ撒キ事件後昭和五年十二月末北京ニ逃避シマシタ、翌六年一月續イテ

小松重雄、副島龍起

ガ北京ニ參リマシタガ副島ハ市內自動車部分品ノ商店ニ勤務シ小松ハソ聯ニ行ク爲メ大連ニ居ル橘樸カラ旅費ヲ貰ウト云ツテ出發

シマシタガ以後同人ノ消息ハ今日迄不明デアリマス
私ハ日本語ノ教授ノ傍ラ引續キ同地カラ上海週報ニ原稿ヲ送ツテ居リマシタガ同年夏頃同社カラ歸還命令ヲ受取リ再ビ上海ニ歸ヘリマシタ、
間モナク鬪爭同盟ノ手島ヲ通ジテ中共ノ

王　學　文、姜、揚、

等ト連絡ヲ恢復シ續イテ其ノ間手島、日高等ガ中共指導下ニ日支鬪爭同盟再建ノ目的デヤツテ居タ、

小山ボーラ及其ノグループ　洋服屋某　外二、三人

ノ研究會ニ出席スル樣ニナリ其ノ指導ヲ致シマシタ、
其ノ間鬪爭同盟ノ岩越ハ尾崎ノ貰ヒ下ゲテ釋放サレ其他格及東亞同文書院等モ相次イデ釋放サレ再ビ舊研究會メンバーノ會合ガ行ハレル樣ニナリマシタガ之等グループ間ニ

A、引續キ中國共產主義革命ニ協力スベシ

B、日本ニ於ケル共産主義革命ニ参加スベシ

トノ見解ガ對立シ

安齋、岩灘、小山グループノ某

ハ後者ヲ支持シテ相次イデ歸國致シマシタ、

前者ノ支持者デアル

私、水野、手島、日高

等ハ引續キ在留シテ前ニ申上ゲル研究會ニ出席シ日支闘爭同盟ノ

再建ニ努力致シマシタ、

然ルニ此間中共ノ私達日本人左翼ニ對スル指導方針ハ滿洲事變前

ノ影響カラカ全ク一變シ私ガ上海ニ歸ツテ間モナク

日本人左翼ヲ以テ日本帝國主義ノ對支攻勢ニ對スル情報蒐集

ノ諸活動ヲ爲スベシ

ト指令サレル樣ニナリマシタ

其ノ結果研究會ノメンバーヲ中心トシタ

私、手島博雄、日高爲雄
水野成、坂巻某
等ガ選拔サレ姜ノ指導下ニ軍事工作、政治工作ニ對スル指導或ハ實地訓練等ヲ受ケテ諜報活動員トシテノ訓練ヲ受ケル樣ニナリマシタ、
當時訓練員ハ姜ノ指導下ニ上海方面日本人及日本ノ出先等ニ就テ對支工作、政治、經濟、外交、軍事ニ對スル情報、蒐集活動ニ當ツテ居リマシタ
尙ホ其間前ニ申上ゲマシタ研究會ハ同志獲得ノ見地カラ續行シテ居リマシタ
以上ガ私ノ共產主義運動經歷ノ大要デアリマスガ斯クシテ昭和六年十月過ギ姜ヲ通ジテ中共諜報活動ヨリ今次コミンテルンノ諜報活動ニ轉ズルニ至ツタ次第デアリマス、

一、問　當時ニ於ケル在上海日本人左翼運動ノ概要ハ如何、

答　當時ニ於ケル在上海左翼運動ノ中心ハ大体

田中忠夫、尾崎秀實、

ガ指導的地位ニアッテ何レモ中國共産黨トハ有機的關係ニアッタ

モノデアリマシタ、

又之ヨリ先キ大橋[illegible]等モ居リマシタガ寧ロ同人ハ北支ガ中心デアッテ私達ノグループノ指導的地位ニアッタ小松重雄等ハ北支當時同人ノ指導影響ヲ受ケテ左翼運動ニ這入ッタモノデアリマシタ

當時ノ上海日本人左翼運動ハ大別シテ四ツノグループニ分ケラレマスガ其ノ間互ヒニ有機的關係ニアッタモノデアリマシタ、

A、尾崎秀實ノグループ

尾崎ハ當時大阪朝日新聞社ノ上海特派員デアリマシタガ其ノ周圍ニハ、ジャーナリストガ多ク、

山上　義正　――――――　在上海聯合通信支局長

岩越　――――――――――　上海毎日新聞社記者

船越壽雄――――――在同

大形孝平――――――滿鐵上海公處

西里龍夫――――――上海日報記者

格――――――――――在同

等ガ結集シテ居リマシタガ同人等ノ大部分ガ東亞同文書院出身デアリマシタ―コロヤヲカラ同校學生

水野成、中西功、坂卷

等モ出入シテ其ノ指導啓蒙ヲ受ケテ居リマシタ

B「田中忠夫」濫盛光ヲ通シテ中共トハ關係ガ極メテ深ク私齋北支クル「ヲモ同人等ヲ通ジテ中共トノ關係ガ出來タノデアリマシタ」

其他ニハ東亞同文書院ノ學生並ニ先輩等ガ出入シテ指導啓蒙ヲ受ケテ居リマシタ

C、北支グループ

此ノグループハ北支以來ノグループ關係ヲ持續シタモノデアリマシテ

小松重雄――――上海滿鐵公處

私―――――――上海週報社

手島博雄――――日森情報社

副島龍起―――――

日高爲雄―――――上海週報社

等デ小松ガ中心トナッテ居ルモノデアリマシタ、

D、小山ボーラノグループ

此ノグループハ古本屋小山ボトラヲ中心トシタ雜然トシタモノデ左翼ノ戰旗、プロレタリア科學等ノ讀者ヲ獲得シタモノデアリマシタガ一時ハ上海ニ戰旗社支局ノ設置ヲ計畫シタ様ナ事モアリマシタ

E、東亞同文書院關係

此ノグループハ同校學生

安齋庫治　水野成　白井御幸

等ガ中心トナツテ居ル樣デアリマシタガ直接學内關係ヲ通ジテ中共ノ指導ヲ受ケ其ノ組織ニ參加シテ居リマシタガ一面在上海日本人左翼グループトハ先輩其他ヲ通ジ有機的關係ニアツタモノデアリマシタ、

一、問　被疑者ハ中共姜等ノ指導ヲ受ケ諜報活動ニ對スル訓練ヲ受ケテ諜報活動等ヲ爲シタル關係ニ付イテハ當時如何ナル認識アリタルヤ、

答　私ガ水野成、手島博雄等ト共ニ中國共産黨姜等ノ指導下ニ諜報活動ニ關スル訓練ヲ受ケ且ツ夫ニ關スル活動ヲシマシタノハ中共ガ日本人左翼ニ依ル諜報機關ヲ組織スル爲メデアツタ事ト思ヒマス、其後ニ於テ現實水野、手島等ハ引續キ中共、姜、王學文等ト連絡シテ諜報活動ヲシテ居リマスガ此ノ事ハ中共指導下ニ於ケル日本

人諜報機關トシテノ行動デアリマス

又當時私ガ上海週報社ニ於テ姜等ヨリ手交サレタ、中共關係左翼語文獻ノ翻譯文或ハ中國共産主義運動ノ發展狀況等ヲ蔣介石攻撃文ト共ニ同紙上ニ掲載シタ事モ其ノ諜報活動ト表裏一体ヲ爲スモノデアリマス

以上ノ如キ中共指導下ニ於ケル私達左翼日本人ノ諜報機關トシテノ活動モ之ヲ一貫シテコミンテルンノ世界革命遂行ヲ支持シ其ノ途上ニ於ケル中國共産黨ヲ支持シ中國共産主義革命達成ヲ目的トシタ活動デアリマシタ、

川合貞吉

右讀ミ聞ケタルニ事實相違ナキ旨申述べ署名拇印シタリ

同日　於　錦町警察署

警視廳特別高等警察部特高第一課

司法警察官　警部補　小俣健

司法警察吏　巡査　鈴木利兵衛

第四回被疑者訊問調書

被疑者　川　合　貞　吉

右者ニ對スル國防保安法並治安維持法違反被疑事件ニ付東京刑事地方裁判所檢事玉澤光三郎ノ命令ニ因リ昭和十六年十一月九日錦町警察署ニ於テ司法警察官警部補小俣健ハ司法警察吏巡査鈴木利兵衞立會ノ上右被疑者ニ對シ訊問スルコト左ノ如シ

一、問　被疑者ガ今迄諜報活動ヲ爲スニ至リタル經過如何

答　私ガ今次コミンテルンノ諜報機關ニ所屬シテ所謂諜報活動ヲスル樣ニナリマシタノハ先日申上ゲタ樣ニ最初ハ中國共產黨指導下ニ於ケル左翼日本人諜報機關組織ノメンバーカラ出發シテ中途カラ今次諜報機關員トナツタモノデアリマス

昭和六年十月末頃當時私ハ前ニ申上ゲマシタ樣ニ中國共產黨姜ノ指導下ニ日本人諜報機關員トシテノ指導訓練ヲ受ケ夫レニ關

スル活動ヲシテ居リマシタノデ姜ノ自宅ヘ出入リシ居リマシタ
偶々姜カラ
重大ナ仕事ガアルカラ今後君ニヤツテ貰ヒタイト云フ話ガア
リマシテ間モナク同人方デ豫テ上海デ顔見知リデアツタ
大阪朝日新聞上海特派員
尾　崎　秀　實
ニ紹介サレマシタ
私ハ之ニ依ツテ尾崎ガ姜ト親密デアルコトヲ初メテ知ツタノデ
アリマシタガ其ノ重大ナ仕事ノ打合セニ尾崎ハ姜ニ對シ
姜君ハ行カナインダ
ト云フ話ヲ聞キマシタノデ若干異様ナ感ジガ致シマシタ
尾崎ト同伴シテ姜方ヲ出マシタガ途中北四川路ノ郵政局ノ前ニ
自動車ニ乘ツタ

外　國　婦　人

ガ待合セテ居テ尾崎ト共ニ同乘致シマシタ、間モナク南京路附
近ノ廣東料理店確カ
杏花樓
ト記憶シテ居リマシタガ同店前デ自動車ヲ降リ店內ニ這入リマ
スト其處ニ
　丈ノ高イ外國人
ガ待合ハセテ居リマシタ
尾崎ノ通譯デ私ト丈ノ高イ外國人トノ間ニ交ハサレタ話ノ內容
ハ
　君ニ北支カラ滿洲ノ方ニ行ツテ貰ヒタイガ行ケルカ
トノ間ガアリソレヲ承認シマスト
滿洲事變後ニ於ケル北支、滿洲ノ動向主トシテ關東軍ノ動向
對ソノ動向、白系露人ノ動向等ニ就テ約二ケ月位ノ日程ニテ
調査シテ來テ貰ヒタイコト

若シモ其ノ間ノ活動中身邊ニ危險ヲ感シタ場合ニハハルピンニ行ツテ其ノ住所ヲ尾崎方ニ通知シテ連絡スルコト等ノ指令ヲ受ケマシタ

此ノ樣ナ指令ヲ比較的平靜ニ私ガ承認シマシタノハ既ニ姜等中國共產黨ノ指導下ニ諜報活動ヲ爲スベク積極的ニ考ヘテ居リ且ツ所謂階級的ナ仕事デアル限リ如何ナル場面デ活動スルモ同ジデアルト考ヘテ居タカラデアリマシタ

指令ヲ受ケテカラ直チニ使命ヲ果ス可ク北支ニ行キ同所デ

副島龍起

ニ會ヒ表面中共關係ヲ裝ツテ

今後諜報活動ニ協力シテ吳レルヨウ

依賴シ同人ノ紹介先ヲ賴ツテ滿洲ニ行キ約二ケ月位デ上海ヘ皈リ尾崎ヲ通ジテ某外國人及某外國婦人ト會合シ報告書ヲ提出シ夫ニ關スル諸報告ヲ致シマシタ

以上ガ今次諜報活動ニ參加スルニ至ツタ最初ノ經過デアリマス

ガ其ノ後引キ續キ在上海中尾崎ヲ介シテ尾崎ノ後任者

山上義正

次イデ　船越壽雄等ヲ通シテ某外人ノ指令ヲ受ケテ前回同樣ノ活動ヲ爲シ更ニ昭和八年ニハ北支ニ渡ツテ尾崎ヲ通ジテ再ビ

某外國婦人

支那人某

等ノ指令下ニ活動ヲ爲シ其後モ引續キ尾崎及ビ同人ヲ通ジテ上部トシテ紹介サレタル

宮城與德

ト連絡シテ同樣ノ活動ヲ爲シテ今日ニ至ツタ次第デアリマシタ

尙以上申上ゲマシタ

某外國婦人

ニ就テハ昭和九年一月頃天津デ上海當時ノ上部連絡者船越壽雄ト連絡ノ際同人ヨリ本名

ス　メ　ド　レ　ー

デアル事ヲ初メテ聞キマシタ

一、問　某外國人ト云フノハ此ノ男カ

此ノ時アグネス。ゾルゲノ寫眞ヲ示ス

答　左樣デアリマス

私ガ上海當時尾崎カラ

ロビンソン。クルーツー

ト云ツテ話サレテ居タ人物デアリマス

一、問　被疑者ノ今次ゾルゲ一派ノ諜報團体ニ對スル認識ハ如何

答　私ガ尾崎秀實ト連絡シテ今次諜報活動ヲ爲スニ至ツタ際中國共産黨諜報關係指導者姜トノ關係ガ無イ事ヲ知ツタ際既ニ異樣ヲ感シタト云フ事ヲ申上ゲテ置キマシタガ其後尾崎ヨリ

外人　ゾ　ル　ゲ

ス　メ　ド　レ　ー

ヲ紹介サレ更ニ北支ニ於テスメドレー及某外人支那人某等連絡スル様ニナツテ漸次之等ノ活動ガ國際共產黨（コミンテルン）ノ諜報組織デアル事ヲ認識シ得マシタガ私トシマシテハ既ニ共產主義ヲ信奉シコミンテルンヲ支持シ共產主義世界ノ實現ヲ確信シテ居リマシタカラ之ヲ支持シテ活動ヲ繼續シタモノデアリマシタ

一、問　今次諜報團体ノ組織並ニ連絡方法ノ概容如何

答　今次諜報團体ノ組織ト云ツタ樣ナ事ニ就テハ從來何人カラモ內容ヲ聞イテ居リマセン

併シ私ノ上海以來ノ經驗カラ申上ケマスト

ヅルゲ

ガ今次關係ノ中心人物デアル事ハ容易ニ豫想出來マス、又スメドレーモ昭和八年一月私ノ北支天津ニ於ケル活動當時ハ支那人外人ヲモ含メタ關係ニ於テ指導的立場ニアリマシタノデ同樣中

心人物ノ一人デアルト思ヒマス

尾崎ハ上海以來、宮城ハ昭和十年以來私ニ對シ指導的監督的立場ニアツテ上部トノ連絡ニ當ツタモノデ日本人關係ニ於テハ中心人物デアルト思ヒマス

山上、船越ハ上海當時私ノ上部尾崎ノ後任者トシテ上部トノ連絡ニ當ツテ居タモノデアリ尾崎等ニ次グ地位ニアツタモノデアリマス

河村ハ私ガ諜報メンバートシテ獲得シタモノデアリ從ツテ上部トノ連絡ハ私ガ取ツテ居タモノデアリマス

其ノ連絡方法ニ就テ一般的ナモノハ判リマセンガ私ノ場合ニ於テハ先キニ申上ゲタ樣ニ上部トノ間ニ連絡者ガ居リ上海當時ニ於テハ

尾崎秀實　山上義正

船越壽雄

等ガソレデアリ、北支那ニ於ケル當時ハ

支那人某

ガ上部トノ連絡ニ當ツテ居リマシタ

又河村トノ關係ハ最初ノ時ハ

スメドレー・外人某　支那人某

ニ紹介シタノデアリマシタガ其後ニ於テハ私ガ直接同人ト其ノ活動ノ成果ヲ連絡者支那人某ニ報告シテ居リマシタ

諜報活動當時ニ於ケル報告ハ在上海當時一回北支當時一回ノ合計二回文書ニ依ル報告ヲ上部提出シテ居リマスガ其他ノ場合ハ一貫シテ最後迄口頭ニ依ル報告デアリマシタ

一、問　被疑者ノ今次諜報活動ノ概要ハ如何

答　私ノ今次諜報活動ノ關係ハ昭和六年十月ヨリ一貫シテ今日ニ及ンダモノデアリマスガ其ノ間昭和十一年一月二十一日新京總領事館警察ニ治安維持法違反並ニ諜報活動ニ關スル嫌疑ニヨツテ檢擧サレ同年六月二十四日治安維持法違反トシテ懲役十ケ月執行

行猶豫三年ノ判決ヲ受ケタ事ガアリマシタ
併シ此ノ時ハ中國共產黨關係及今次諜報活動關係ニ就テハ發覺シテ居リマセンデシタカラ何レモ申上ゲズニ出所致シマシタ
從ツテ其ノ釋放後尾崎宮城ト引續キ連絡スル樣ニナリ今日ニ至ツタ次第デアリマス
以下私ノ諜報活動ノ内容ヲ申上ゲマス
一、昭和六年十月末今次諜報關係ニ入ツテ昭和七年七月迄ノ間
1.昭和六年十月末ヨリ昭和七年一月下旬迄
2.昭和七年一月末ヨリ同年三月末頃迄ノ間
ノ二回ニ亘リ尾崎秀實及ビ其ノ後任者山上義正ヨリ船越壽雄ヲ通ジテゾルゲヨリ
滿洲事變後ニ於ケル北支滿洲ノ狀況、關東軍ノ動向、對ソ動向、滿洲國建設ノ狀況、白系露人、回教徒、蒙古人ノ動向ニ對スル調査ヲ指令サレ何レモ約二ケ月位ノ豫定ニテ其ノ使命ヲ果シ、尾崎、船越ヲ通ジテゾルゲスメドレーニ報告書及口頭

ヲ以テ内容ヲ報告致シマシタ

二、昭和七年七月船越ヲ通ジテ

上海ニ於テ活動ノ困難ナルコト將來北支ニ於テ活動シタキ

旨

ヲゾルゲニ報告シテ其ノ承認ヲ得一旦歸國シテ大阪ニ於テ尾

崎ト連絡シテ今後ノ連絡ヲ依頼シ昭和七年末渡支北京ニ參リ

マシタ

同地ニ於テ尾崎ヲ通ジテ當時宋夫人ト稱シテ居タ

スメドレー

ト連絡シ次イデ

スメドレー

及

支那人某

ト會合シ　スメドレーヨリ

北支ニ於ケル支那軍閥ノ動向及

關東軍ノ動向

ニ對スル諜報活動ヲ爲スベキ爲指令ヲ受ケ更ニ同人等ヨリ協力者獲得ノ指令ヲ受ケテ大連ニ行キ東亞同文書院當時ノ左翼關係者

河　村

ニ今次諜報活動ノ情ヲ明カシテ之ヲ協力者ニ獲得シマシタ

次イデ北京ノスメドレー方ニ於テ

スメドレー

某外國人（獨乙語ヲ話ス）

支那人　某

河村　及私

デ會合シ席上前ニ申上ゲタ樣ナ指令ヲスメドレーカラ河村ニ傳ヘ今後、

支那人　某
ヲ上部連絡者トシテ
私ガ　天津
河村ガ大連
ニ於テ活動ス事ニ決定シマシタ
同年六月頃成果ガ擧ラカツタ爲メ支那人某ヨリ渡滿シテ滿洲國ノ建設狀況對ソ關係其他ノ狀況ヲ調査スル樣指令ガアリマシタ
此ノ時モ約二ケ月位ノ豫定デ渡滿シテ其ノ使命ヲ果シ歸路大連ヲ經由シテ河村カラメ報告ヲ聽取シテ八月下旬天津ニ歸リ報告書ト共ニ支那人某ニ指令內容ニ關スル諜報ノ結果ヲ報告シマシタ其後間モナク支那人某トノ連絡ガ切レマシタノデ同人ト連絡シタ活動ハ中斷スルニ至リマシタ
三、昭和九年一月頃天津デ會ツテ在上海當時ノ諜報活動關係ノ連

絡者デアツタ船越ト連絡スル様ニナリマシタガ當時同人ノ指令下デ活動ニ從事シタ事ハアリマセンデシタ
併モ同人ガ依然トシテ諜報活動ノ關係ガアツタカドウカハ當時判リマセンデシタガ同志尾崎トハ連絡ガアツタ様デ其後私ガ尾崎ト連絡ノ際私ノ私生活ニ關スル警告ヲ受ケタ様ナ事ハ恐ラク同人ガ尾崎ニ報告シテ居タカラデハナカツタカト思ヒマス
當時船越カラ聞イタ話ノ中ニハ上海ニ於ケル活動中ゾルゲ後任ハ理解カナク人ノ運用方法ハ下手デアツタ等ノ話ガアリマシタ

四　昭和九年二月支那人某トノ連絡ガ切レタノデ今後ニ於ケル方針ヲ仰グベク內地ニ歸リ大阪ニ於テ尾崎ト連絡シ
　北支ニ於ケル活動狀況
　支那人トノ連絡ノ切レタ事
及船越ガ北支ニ來タ事等ヲ報告シテ今後ノ方針ヲ尋ネマシタ

同人ハ

連絡ノ切レタノハ何カ上海方面ニ問題ガ起ツタノデアラウ何等カ連絡ノアル迄北支デ從來ノ如キ活動ヲ爲シ生活ノ方法ヲ講ジ所在ヲ明カニシテ置クコト

等ノ指令ヲ受ケ直チニ天津ニ歸リマシタ

五、天津ニ歸ツテカラ對尾崎トノ連絡ニ關シ之ヲ船越ニ報告スルト共ニ一面同人ト有機的ナ連絡ヲ保チ乍ラ專ラ連絡ノ快復方ヲ待望シテ居リマシタ

其ノ間私ハ

北支靑年同盟

大東公司

等ノ活動ニ參劃シテ一面北支ニ於ケル諸事情ニモ通ジマシタガ更ニ河村ノ其後ノ狀況ニ就テ連絡スベク大連ヘ參リマシタスルト同人ハ既ニ大連ヲ去リ奉天毎日新聞社ニ勤務シテ居ル

事ガ判リマシタ

六、昭和十年三月二十五日尾崎トノ連絡ノ爲船越ヨリ同人ノ住所ヲ聞イテ歸國シ東京ニ於テ東京朝日ニ勤務シテ居ル尾崎ト連絡致シマシタ

私カラ其後ニ於ケル北支ノ狀況ヲ北支靑年同盟、大東公司ニ於ケル活動ト共ニ報告シ更ニ今後ノ方針ニ就テ同人ノ指示ヲ仰ギマシタ

同人カラ

東京ニ居テ日本ノ狀勢ヲ勉強セヨ

トノ指示ヲ受ケマシタノデ其ノ方針ニ從フベク當面取不敢自活ノ道ヲ樹テル爲ニ北支以來ノ舊知

杉並區松ノ木町一ノ一四三　藤田勇

方ニ同居スル事ニ致シマシタ

七、昭和十年五六月頃尾崎ト連絡シタ際同人ハ

君ニ友人ヲ一人紹介スル
ト云フ話ガアリマシタ間モナク尾崎ト同伴シテ上野池ノ端某
料亭デ
　宮城與徳
ニ紹介サレマシタガ尾崎ハ其時同人ヲ
　フランスニ居ル繪書キデ面白イ人物ダ
ト云ツタ様ニ記憶シテ居リマス
私ト宮城ハ初對面カラ打解ケテ一諸ニ神明町ノ待合ニ行キマ
シタガ其ノ間私カラハ支那ニ於ケル諸情勢ニ就テ話シシ
宮城ハ
　アメリカニ於ケル左翼運動ノ話
ヲ致シマシタガ更ニ
　君ノ事ニ就テハ尾崎君カラ良ク聞イテ居ル
ト云フ様ナ話ガアリマシタノデ略々同人ガ實ハアメリカ左翼

運動關係者デ私達ト同樣コミンテルン諜報關係ノ一人デアルコトガ相像出來マシタ以來同人ノ自宅ヲ數ヘラレ同人方へ出入スル樣ニナリマシタガ外デ連絡スル場合ハ其ノ都度宮城カラ指定サレマシタ

當時ニ於ケル同人トノ關係ハ

　宮城カラ國內情勢

　私カラ支那事情

ト云ツタ樣ナ事ニ就テ話シ合ヒオ互ヒニ啓蒙シ合フ傍ラ共ニ國內情勢ノ勉強ヲヤツテ居ツタ樣ナ關係デアリマシタガ更ニ其ノ間同人カラ

　上海當時君ヲ知ツテ居ル外人ガ現在遠イ處へ行ツテ居ルガ某方面ヲ通ジテ君ノ消息ヲ尋ネテ來タ

ト云フ話ヲ聞キ其ノ外人ガゾルゲデアル事ガ判リ宮城ガ同志デアル事ノ確信ヲ得タ譯デアリマシタ

更ニ當時同人トノ間ニ於テ

國内ファショ化ノ傾向カラ日ソ開戰ノ危險性ガアリソレ
ニ關スル情報ヲ蒐集シテ吳レ

等ノ宮城ノ指令ガアツタノニ對シ私ハ藤田方出入中ノ浪人ヨリ得タ情報ヲ同人ニ報告シタ樣ナ事ガアリマシタ

尙其間尾崎トノ連絡ノ際

北一輝著　日本改造法案

ヲ宮城方ニ屆ケル事ヲ命ゼラレタ事ガアツタリ或ハ尾崎宮城等ト會合ノ際尾崎ガ持ツテ來タ

磯部村中ノ肅軍ニ關スル意見書

ヲ宮城ト共ニ分擔シテノートシタ樣ナ事モアリマシタ

以上ノ樣ナ關係ノ中ニ翌昭和十一年一月先キニ申上ゲタ樣ナ關係カラ私ガ藤田方デ檢擧サレ新京總領事館警察ニ護送サレタノデアリマシタ

八、同年六月末新京總領事館警察カラ釋放サレタ私ハ一應北支天津在住ノ舊知今村清ヲ頼ツテ同人方ニ落付キマシタガ同年十一月有機的關係ニアッタ同志船越壽雄ト協議シ科學的見地ヨリ北支ニ於ケル政治經濟等ノ諸事情ヲ調査スル目的ヲ以テ天津ニ於テ

支那問題研究所

ヲ設立シ其ノ經過ヲ船越ヨリ尾崎ニ報告シマシタ

其後同研究所ニハ所員ニ尾崎庄太郎以下左翼出身者ヲ採用シマシタガ此ノ事ハ私達諜報活動並ニ運動目的達成ノ爲ニ一環ヲ爲スモノデアリマシタ

九、昭和十二年五月支那問題研究所東京支社設置旁々在京ノ同志尾崎、宮城等ト連絡ノ目的ヲ以テ歸國シ尾崎ニ其後ニ於ケル北支ノ諸狀況及支那問題研究所設置ニ關スル經緯ヲ報告シマシタガ宮城トノ連絡ニ就テハ

近ズカナイヨウニ

ト云ハレテ連絡出來マセンデシタ

又此ノ時尾崎ハ東京支所設置ニ就イテ

昭和研究所　大山岩雄

企劃院就職ノ爲メ

企劃院　小澤正元

等ヲ紹介シテ呉レマシタ

翌十三年五月天津歸還ニ際シ尾崎ヨリ

引續キ北支ニ於テ諸事情ノ調査ヲ爲シ自活ノ道ヲ立テヽ

所在ヲ明カニシテ置クベキコト

等ヲ指示セラレマシタ

一〇、天津歸還後間モナク支那問題研究所ヲ辭シマシタガ續イテ舊

知志村正三ト共ニ大迫特務機關デ

北支方面ニ於ケル共産黨情報蒐集

ノ仕事ニ從事シテ北支ニ於ケル中共ノ文化工作内容ヲ知得シ

マシタ
次イデ志村正三ト共ニ大迫特務機關ニ招カレ呉佩孚ノ擁立汪呉合作運動ニ協力シマシタ此ノ事ハ私ノ支那問題ニ對スル見解ガ

支那ハ原始共産体ノ遺性ヲ強ク内包スルトコロノ地縁血縁強固ナル社會組織ニ基礎ヅケラレテ居ル、從ツテ當面支那側ニ於テハ斯ル要素ヲ破壊セズ過渡的表面的ニ日本帝國主義ト協力スルガ如キ支配者ヲ擁立スル

ト考ヘテ居リマシタノデ既ニ同志尾崎ガ日本ニ於テ新体制運動ニ參劃シテ居ル際デアリ東西呼應シテ極メテ有意義ニシテ進歩的デアルト考ヘタカラデアリマシタ

十一、昭和十四年九月尾崎宮城ト連絡ノ爲メ上京シ尾崎ニ連絡シテ
北支ノ治安、洪水ノ狀況
呉佩孚擁立運動ノ實性
新民會ノ狀況

等ニ就テ報告シ次イデ間モナク宮城ノ訪問ヲ受ケテ同人ニ同樣ノ報告ヲ致シマシタガ同人ヨリ引續キ

北支ノ治安狀況

北支軍ノ狀況

等ニ就テ調査活動ヲ爲ス可キ樣指令サレマシタガ更ニ尾崎カラハ

北支ニ於ケル住所ヲ東京ノ拓植方ニ知ラシテ置ク樣

指示ヲ受ケマシタ

十二、昭和十五年九月初旬內地ニ於テ自活ノ方途ガ立チマシタノデ歸國シ早速目黑ノ尾崎方ヲ訪問シ其後ノ調査ニヨル北支人狀況ニ就テ報告致シマシタ

偶々同所デ宮城ト出會シマシタノデ同人ニ對シ同樣北支ノ諸狀況ニ就イテ報告シマシタガ更ニ志村正三トノ關係ニ就テ同人ノ利用性ノアル事ヲ報告シマシタ

十三、昭和十五年十一月中旬頃[illegible]土町ノ宮城方ヲ訪問シ岐阜へ歸郷ノ報告ヲ致シマシタ
之ハ豫テ同人ガ名古屋方面ノ事情ニ就イテ知リタガツテ居リマシタカラデアリマシタ、宮城ハ

岐阜ヘ歸ヘツタラ名古屋方面ニ於ゲル軍事工場方面ノ事情ヲ調査シテ來テ貰ヒ度イ

ト私ニ指令シマシタガ次イデ唯今工場名ヲ忘レマシタガ前々カラ知リタガツテ居タ

豐橋ニアル某飛行機製作所ノ内性ニ就イテ調査シテ來テ貰ヒ度イ

ト云フ指令ガアリマシタ
私ハ此ノ旅行ニ於テ母ノ實家ガアツタ岐阜市外山形郡高富町ノ妹ノ嫁ギ先森建二方ニ二泊シ、更ニ岐阜市本町叔母今西利右エ門方ニ一泊シ歸途名古屋市橘町叔父森泰次方ニ二三泊シ

マシタガ其ノ間岐阜ニ於テ

川崎製作所

ノ狀況ニ就イテ調査ショウトシマシタガ、單ニ軍事工場デアルト云フコトト飛行機製作ラシイ事ヲ知リマシタ、更ニ名古屋ニ於テハ叔父方ニ於テ店員其他カラ

愛知時計デハ現在飛行機ノ部分品ヲ作ツテ居ルコト

豐田織機デハ軍用自動車ノ製造中デアルコト

等ヲ調査シ得マシタ

又宮城カラ云ハレル豐橋方面某飛行製作所ノ事ニ就イテハ叔父ガ機械商デアリマシタノデ尋ネマシタトコロ

豐橋方面ニ其ノ樣ナ製作所ノアル事ハ聞イテ居ナイ

トノ事デアリマシタガ

更ニ愛知時計ト豐橋織機ニ就イテハ一應電話帳ヲ引イテ其ノ實在ヲ確メマシタ

上京後ハ早速麻布區龍土町ノ宮城方ヘ連絡シ以上ニ關スル報告ヲシマシタトコロ同人ハ

ソレデハ豐橋方面ノ方ノ事ハ違ツテ居ルノカナ、

ト云ツテ居リマシタ

川合貞吉

右讀ミ聞ケタルニ事實相違ナキ旨申述ベ署名拇印シタリ

同日　於錦町警察署

警視廳特別高等警察部特高第一課

司法警察官警部補　小俣健

司法警察吏巡査　鈴木利兵衛

第五回被疑者訊問調書

被疑者　川合貞吉

右者ニ對スル國防保安法並治安維持法違反被疑事件ニ付東京刑事地方裁判所檢事玉澤光三郎ノ命令ニ依因リ昭和十六年十一月十日錦町警察署ニ於テ司法警察官警部補小俣健ハ司法警察吏巡査鈴木利兵衞立會ノ上右被疑者ニ對シ訊問スルコト左ノ如シ

一、問　引續キ被疑者ノ今次諜報活動ニ於ケル概畧ヲ述ベヨ

答　先日ハ昭和十五年九月内地ニ歸ツテカラ、尾崎、宮城ト連絡スル樣ニナリ同年十一月中旬頃今次諜報活動關係ニ於テ私ニ對シ指導的立場ニアツタ　宮城カラ岐阜、名古屋方面ニ於ケル軍事工場其他ニ就テ調査方ヲ指令サレ約一週間位ノ旅程ノ間ニ於テ其ノ使命ヲ果シ歸京後其ノ結果ヲ宮城ニ報告シタトコロ迄申上ゲテ置キマシタ、

一、尚ホ此ノ當時ノ事デアリマスガ宮城ハ私ニ對シ、

名古屋方面ニハ仲間ガナイノデ君ガ行ツテ貰ヘナイダラウカ、

ト云フ様ナ話ノ出ル事ガアリマシタ、

私ハ考ヘテ置クト云ツタ様ニ答ヘタ記憶ガアリマス當時宮城ハ時時京都ニ行ツテ來タト云フ様ナ話ヲシテ同地方ニ同志ノ居ル様ナ様子デアリマシタガ名古屋方面ニハ夫レガナカツタノデ私ニ要求シタノダト思ヒマス、

併シ此ノ話ハ其後ニ於テ適當ナ就職豫定ガアリマセンデシタカラ遂ニ中止ノ状態トナツテ居リマス、

此ノ事ニ對スル宮城ノ意圖ハ恐ラク名古屋ガ三大都市ノ一ツデ所謂重工業ノ中國ニ於ケル中心地デアリマシタカラ其ノ状況ソ實相ヲ私ニ諜報サセル考ヘデアツタ事ト思ヒマス

一、同年末頃宮城ノ麻布龍土町ノ家ヲ訪問致シマシタ、スルト同人ハ

私ガ何處ヘカ就職シタイト話シマシタノデ

ソレデハ芝浦方面ノ運送店邊リニ就職シタラ良イダラウ恐ラク人手ガ足ラナイノデ直グニ口ガアル事ト思フ、

ト云フ様ナ指示ガアッタ事ガアリマシタ。勿論其ノ事ガ諜報活動
關係ニ於テ
例ヘバ軍隊ノ輸送トカ物資ノ輸出入等ノ調査ニ判スル考ヘデハア
ル事ハ判リマシタガ之モ氣ガ進マナカッタノデ積極的ニ就職運動
スルト云ッタ様ナ事ハシマセンデシタ。

一、昭和十五年末頃宮城トノ關係ニ於テハ二回程連絡時刻ヲサボッタ
事ガアリ其ノ間若干感情的ニ面白クナイ様ナ空氣ガ兩者ノ間ニア
リマシタ。
昭和十六年ニナッテカラ月一回位同人方ヲ訪聞連絡シテ居リマシ
タガ其ノ間同人ハ不在ノ場合ガ多ク下宿先キノ小母サンカラ
宮城サンノ方カラ向ヒマスト云ッテ居マシタ。
ト云フ様ナ傳言ヲ聞イタ事モアリ更ニ私ガ誤魔化シテ居タ本郷駒
込千駄木町廿三永和莊ノ私方住所ヘ不在中訪問シテ私ノ家庭狀況
ヲ調ベタ様ナ事等モアッテ最後ニ會ッタ本年三月末カ四月上旬ノ

宮城トノ連絡ニ於テハ同人カラ
自分モ現在デハ仕事ノ方モウマク行カナイノデ上部カラモ責メラレテ居ル
誰カ後任デモ出來タナラバ自分モ和歌山ニ歸ヘツテ農民運動デモヤリタイト思ツテ居ル
君ノ方ハ今後尾崎君ト話シテヤツテ貰ヒタイ、
~~ト云ハレマシタ~~
ト云ハレマシタ、
私ハ昨年末以來ニ於ケル宮城ノ態度ニ依ツテ斯様ニ云ハレタノデハナイカト思ヒマシタガ當時ノ私トシテハ家庭内ノ復雑ナ事情ニ惱マサレテ居リマシタ事トテ致シ方ノ無イ事タト思ツテ居リマシタ、宮城對私トノ關係ニ於テハ既ニ何等カ宮城カラ尾崎ノ方ヘ報告シタ事モアツタ様デ尾崎ハ其ノ間私ニ
吾々ノ仕事ハ極メテ重大ナ意義ヲ持ツモノダカラ

ト云ツテ兩者ノ緩和ヲ圖ツテ居リマシタ事ガアリマシタガ私トシテハ宮城ガ余リニ神經質的デ斯クトモ同者間ノ永イ連絡ノ間ニ於テハ仕事ノ出來ル時モアリ出來ナイ立場ニ置カレル樣ナ思ヒヤリガ無イト思ツテ尾崎ニハ

宮城モ余リ神經質過ギル、

ト云ツタ樣ナ事ガアリマシタ、

一、以上ノ樣ナ關係カラ私ト宮城トノ連絡關係ハ一應四月初旬頃切リ換ヘ私ハ尾崎ト連絡スル樣ニナリマシタ、

併シ當時ニ於テモ未ダ私ノ生活ハ確立シテ居リマセンデシタカラ尾崎ハ當面ノ私ノ生活確立ニ協力シテ呉レ私ハ同人ノ指示ニ依ツテ從來同人ガ執筆シタモノヲ集メテ隨筆集ヲ出ス仕事ニ專念シツツ本年七月一日漸ク同人ノ斡旋ニ依ツテ現在ノ大日本再生製紙會社ニ入社月給百二十圓ヲ得テ生活ヲ確立スル事ガ出來マシタ、

其ノ内本年十月廿一日檢擧サレル迄ノ間ハ略々月一回乃至二回位

ノ程度ニ於テ滿鐵調査室及ビ目黑區ノ同人方等ニ於テ連絡致シマシタ、其ノ間尾崎ハ私ニ

日本ノ國內狀勢モ本年上半期ニハ未ダ矛盾ガ現ハレナカッタガ愈々本年末ニハ色々ナ矛盾ガ現ハレテ將來ハ大變ナ事態ガ來ルニ違ヒナイ其ノ樣ナ際ニハ君ハ僕ノ傍ニ居テ貰ヒタイ、

等ノ話ガアリマシタ、其ノ樣ナ關係ガテガ本年春頃私ハ內地ニ就職ノ見込ミガ無ツタ時北支ニ再ビ行キタイ樣ナ事ヲ同人ニ洩シタ事ガアリマシタトコロ其ノ後同人ハ

　內地ニ居タ方ガ良イ

ト指示シタ事モアッテ現在ノ會社ニ就職スルニ至ッタノデアリマシタ

一、問　以上ノ關係ニ於テ直接今次諜報活動關係ニ就イテ補足スルモノハ無ギヤ

答　尾崎、宮城トノ關係ニ就イテ若干補足致シマス

一、尾崎トノ關係ニ於テ

1. 昭和十四年九月私ガ尾崎、宮城ト連絡ノ爲メ歸國シタ時ノ事デアリマスガ當時同人カラ

「漢口ヘ行ツテ船越ト會ツタラ同人ハ涙ヲ流シテ喜ンデ居タ」

ト云フ話ヲ聞キ、船越ガ引續キ尾崎ト連絡ガアル樣ニ感シタ事ガアリマシタ、

2. 尾崎ハ屢々北支ニ旅行シテ居リマスガ殆ンド北京ガ主ダツタ樣デアリマシタ北京ノ滿鐵ニハ現在東亞同文書院出身デ支那問題研究所ニ居タ事ノアル

尾崎庄太郎

等ガ居リ何レモ尾崎秀實トハ上海以來親近ノ關係ニアリマスガ更ニ同所ノ調査課長、押川一郎ノ事ニ就イテハ何等カ尾崎ト關係ノアル樣ニ記憶シテ居リマスガ唯今判然シタモノハアリマセ

ン
又同ジ満鐵ノ山本俊吾ハ支那問題研究所以來尾崎トノ知合ヒデスガ本年九月尾崎ガ大連へ行ツテ會ツタトノ事デアリマスガ關係ノ内容ハ判リマセン、

3. 本年九月中旬頃尾崎方ヲ訪問ノ際同人方デ同ジク満鐵調査室勤務中デアルト云フ

伊　藤　某　ヲ

尾崎カラ紹介サレタ事ガアリマシタガ其ノ時尾崎ハ

満鐵ノ伊藤サンデアルガ僕ノ右腕ノ様ニ活動シテ貰ツテ居ル人デス

ト云ハレ且ツ同人ガ話シノ内容カラ左翼運動保釋者ノ様ニ聞キマシタノデソレ迄私ハ尾崎ノ片腕ノ様ナ存在ト思ツテ居マシタガ初メテ同人ガ或ハヒ片腕デアツタノカト感ジタ様ナ次第デアリマシタ

又此ノ時後カラ尾崎ヲ通ジテ舊知ノ

松本愼一

モ來合セマシタガ同人ト伊藤某等ノ間ハ既ニ舊知ノ間柄ノ樣デ
アリマシタ

一、問　伊藤某トハ此ノ男ノ事カ、

此ノ時伊藤律ノ寫眞ヲ示ス、

答　左樣デアリマス

一、宮城トノ關係ニ就テ

イ、昨年十二月初旬頃デアリマスガ麻布龍土町ノ宮城方へ連絡ニ行ツタ際同人方デ「年齡三十才過ギ、中肉中背、一見サラリーマン風」ノ人物ト出會シタ事ガアリマシタ宮城トノ對話ノ關係カラ其ノ人物ガ同志ノ一員ノ樣ニ感ジマシタノデ私ハ直グニ宮城方ヲ辭

去シマシタ

其ノ後宮城トノ連絡ノ際同人ハ

　年末ニハ先日ノ男ト三人デ例ノ處デ忘年會ヲヤラウ

ト云フ様ナ話ヲサレタ事ガアリマシタガ此ノ時ハ宮城ガ咯血シタトカデ遂ニ忘年會ハヤリマセンデシタ、

例ノ處ト云フノハソレ迄宮城ト二回程飲ミニ行ツタ赤坂見附電車交叉點カラ青山ノ方ニ向ツタ左側ノおでん屋デスガ同店ノおたかサント云フ女ハ宮城ノ事ヲ兄サント呼ンデ居マシタガ相當親密ノ様デ昨年末ハ宮城カラノ小遣ヒ約三十圓ヲ同女ヲ通ジテ受取ツタ事ガアリマシタ、

2. 本年三、四月頃宮城ト連絡シタ際同人カラ

　連絡ノ上部ノ人ガ變ツタノデ仕事ガシニクイ

ト云フ様ナ事ヲ話サレタ様ニ記憶シテ居リマス、

一、問　今次諜報活動ノ報酬並ニ費用等資金關係ハ如何

答

私ガ今次諜報活動ヲ為スニ至ツタ動機ハ既ニ申上ゲマシタ様ニ共産主義信奉ノ信念カラ出發シタモノデアリマス、從ツテ其ノ活動中同志或ヒハ上部カラ金錢ノ給付ヲ受ケマシタノハ其ノ諜報活動ヲ為シタノニ對スル報酬デハアリマセン其ノ諜報活動ヲ為ス為メ最低生活ヲ保證シテ呉レタモノト思ツテ居リマスガ夫モ決シテ充分デハナク時間的ニ見マストホンノ一時的ナ關係ノモノデアリマシタ

之ヲ内容的ニ申上ゲマスト上海當時郎チ、昭和六年十月ヨリ翌七年四月頃迄ノ間ニ於テゾルゲヨリ直接受取ツタ四百圓前後ノ金ハ諜報活動ニ回ニ對スル生活費ヲ含ンダ實費デアリマシタ、昭和八年一月ヨリ同年八月頃ニ至ル間北支、天津ニ於テ支那人某ヨリ受取ツタ二百圓余リノ金ハ諜報活動ヲ為ス態勢ヲ整ヘル為メノ費用トモ云フベキデアツテ實費ニモ當ツテ居リマセン

又當時私ガ獲得シタ河村ハ最初ノ時ハ支那人某カラ何程受取ツタ

カ判リマセンガ二回目ノ時ハ私ガ直接支那人カラ三十圓ヲ受取ッテ同人ニ渡シテ居リマスガ此ノ時ノ金ハ同人ガ内地ニ徴兵檢査デ歸ヘルノニ對スル旅費デアリマシタ

又之ヨリ先北支ニ渡ル前上海デ船越ヲ通ジテ、ゾルゲヨリ受取ッタ百圓前後ノ金ハ北支ニ渡ル間ニ於ケル生活費デアリマシタ、

昭和九年一月内地ニ歸國スル際船越カラ五十圓受取ッタ金ハ歸國ノ旅費其ノ他デアリマシタガ同人個人ノ金カ何カニ就イテハ判リマセン

其ノ他宮城尾崎トノ關係ニ於イテハ、尾崎カラハ大体昭和七年七月頃ヨリ種々金錢ノ給付ヲ受ケテ居リ最高百圓位カラ二圓五十錢位迄受取ッタ事ガアリマシタガ、大体之等ノ給付關係ハ尾崎等トノ同志的關係トシテ諜報活動ニ資スル目的ヲ以テ其ノ生活補助トシテ受取ッタモノデアリマスガ饗應費等ヲ含ンデ本年迄ノ間八百圓前後ニハナッテ居ルト思ヒマス、

又

又宮城トノ關係ニ於テハ昭和十年四、五月頃カラノ同志的ナ關係デアリマスガ之モ尾崎ノ場合ト同様私ニ對スル金錢ノ給付ハ同志トシテ其ノ諜報活動ニ資スル爲メ私ノ生活費補助ノ立場カラトシテ受取ツタモノデアリマシタ、

唯其ノ間昭和十五年十一月岐阜、名古屋方面ニ於ケル軍事工場調査活動ノ當時前後ヲ通ジテ約百圓程受取ツタノハ其ノ諜報活動ニ對スル實費デアツタト思ツテ居リマス

其ノ間宮城カラ受取ツタ金ハ本年四月頃迄ノ間最高百圓位カラ五圓位デ饗應費等ヲ入レテ四百圓前後位ニナルト思ヒマス

以上ノ金額ハ十年末ニ於ケル概算デアリマスカラ勿論正確ナモノデハアリマセン

陳述者　川合貞吉

右讀ミ聞ケタルニ事實相違ナキ旨申述ベ署名捺印シタリ

同日

於錦町警察署

警視廳特別高等警察部特高第一課

司法警察官警部補　小櫻　健

司法警察吏巡　査　鈴木利兵衞

第二回被疑者訊問調書

被疑者　水野　成

右者ニ対スル治安維持法並ニ國防保安法違反被疑事件ニ付東京刑事地方裁判所検事玉澤光三郎ノ命令ニ因リ昭和十六年十月二十七日荻窪警察署ニ於テ司法警察官警部補河野　啓ハ司法警察吏巡査深瀬大郎立會ノ上右被疑者ニ対シ訊問スルコト左ノ如シ

一、問　被疑者ノ犯罪ノ前歴ハ如何

答　昭和五年十二月末東亜同文書院二年在學中、上海在留日本人ガ學校門前ニ於テ日本ノ海軍士官候補生ニ共産主義宣傳ビラヲ手渡シタ為ニ其ノ犯人ガ東亜同文書院ノ學生デアルト見做サレテ私共左翼學生六七名ガ上海日本總領事館警察ニ検挙サレ十日間拘束サレマシタ。

次デ昭和六年八月中旬上海公安局警察ニ反南

水野二ノ一

二、

問

答

京政府派遣リノ巻キ添ヘヲ食ツテ検挙サレ日本
人デアル事ガ判ツタ為ニ上海総領事警察ニ引渡
サレ十日間拘束サレタ後送還サレマシタ、
歸國後昭和十一年十二月末大原社會問題研
究所ニ勤務中全所員ニシテ共産主義者
和田四三四
ノ日本共産党再建準備活動ヲ援助シテ居タ為
東京世田谷警察署ニ検挙サレ昭和十三年二月起
訴猶豫処分トナツテ釈放サレマシタ、

被疑者ノ経歴ノ概要ハ如何

私ハ昭和三年三月京都府立宮津中學校ヲ卒業
シテ昭和四年四月在上海東亜同文書院ニ入學シ
マシタガ昭和六年六月中途退學シ全年八月末歸
國シマシタ、
昭和八年十二月大阪市ノ大原社會問題研究所
ニ入所シ昭和十一年上京シテ東洋協會ニ就職、

シマシタ、
仝年十二月末検挙サレタ為ニ仝協會ヲ辞職シ昭和十三年二月起訴猶豫処分トナッテ釈放後仝年六月昭和研究會ニ就職シマシタガ昭和十四年秋辞職シ約八ケ月依嘱サレテ大日本青年団本部ノ年鑑編纂ニ従事シ昭和十六年一月ヨリ坂本記念會ノ支那百科辞典ノ編輯ニ従事シテ居リマス、

三、

問　被疑者ガ共産主義ヲ信奉スルニ至ッタ過程ノ概要如何

答　私ハ昭和五年四月東亜同文書院ノ二年ニナッテ文藝部ニ加ハリ仝部委員デアッタ四年生

安　斉　庫　治

ノ影響ヲ受ケテ次第ニマルクス主義文献ヲ愛読スル様ニナリ又當時大阪朝日新聞ノ特派員トシテ上海在住中デアッタ

尾　崎　秀　實

水野　二ノ二

ノ指導ヲ受ケテ仝年十月頃ニハ共産主義理論ヲ
信奉スルニ至リ以来今日迄之ヲ堅持シテ居リマス、

四、問　被疑者ノ共産主義運動経歴ノ概要ハ如何

答　私ハ昭和五年十月東亜同文書院内ニ
　　安斎庫治
　　白井行幸
ト共ニ
　　中國共産主義青年団
ノ細胞ヲ設ケテ同学院中華部学生ノ団員
　　王某
　　郭某
ト連絡シテ学内ニ共産主義ノ宣傳ヲ行ヒ又仝年十一月頃
ニハ学生ヲ指導シテストライキヲ行ヒマシタ、
昭和六年一月停学処分ヲ受ケテ後仝年八月末帰国迄
ノ間ハ中国共産党員
　　楊某

ト連絡シテ學外ヨリ同級生デアツタ

酒卷　隆

ヲ通ジテ學内ノ左翼學生ヲ指導シ又中國ソビエツ

ト援助資金ヲ左翼學生ヨリ集メマシタ

又昭和十年四月頃以降昭和十一年五月頃迄當時私

ノ勤務先デアツタ大原社會問題研究所員

和田四三四

ガ日本共産党ノ再建ノ為ノ活動ヲシテ居ルコトヲ知リ

ナガラ同人ニ対シテ世界情勢支那革命等ニ関スル宣

傳材料ヲ提供シテ同人ノ運動ヲ援助シマシタ、

五、問　被疑者ノ今次諜報活動ノ経歴ハ如何

答　私ハ上海在住中昭和六年五月頃約一ケ月

鬼頭銀一

等ノ諜報活動ニ参加シテ活動シマシタ

歸國後昭和十一年夏以降今日迄

尾崎秀實

水野三ノ三

六、問　宮城與徳

等ノ諜報団ニ加盟シテ活動シテ居リマシタ

鬼頭銀一等ノ諜報団ニ関係シテ活動スルニ至ツタ経緯

ノ概要ハ如何

答、昭和六年四月下旬頃豫テ文友関係ノアツタ中國共産

党員

楊　其

ヲ通シテ

鬼頭銀一

ニ紹介サレ鬼頭カラ支那革命ヲ援助スル為共産軍討

伐ノ南京政府軍ノ動静ヲ調査スル事ヲ依頼サレ、私

ハ支那革命ガ世界革命ノ重要ナ一部分ヲナスモノ

デアルト信ジテ居マシタ為ニソレヲ承諾シテ諜報

活動ヲナスニ至ツタ次第デアリマス

七、問　鬼頭等派ノ諜報団ノ本質ニ対スル認識ノ概要ハ如何

答、私ハコミンテルンノ究極ノ目的トスル世界革命ノ

實現ノ為ニ重要ナ一部分ヲ為シテ居ル支那革命遂行
上必要ナル、諸般ノ情報ヲ探知蒐集スル事ヲ目的ト
シタモノデアルト信ジテ居マシタ

八　問　鬼頭ノ一派ノ諜報団ノ組織並ニ連絡方法等ニ対スル認識
ノ概要ハ如何

答　昭和六年五月中旬頃鬼頭銀一ヨリ一西洋人（四十五六
歳ニ見エ丈ハ五尺八寸位アリガッチリシタ体格デ容貌
魁偉大男）ヲ紹介サレシタ事實及ビ鬼頭ガ中國共産
党ト連絡アル事實等ヨリシテソノ諜報団ガ鬼頭
初メ支那人、西洋人等ニヨッテ組織サレテ居ルモノト推
察シマシタ
ソノ連絡方法ニ就テモ詳シク知リマセンガ
鬼頭銀一
ガ蒐集シタ情報ハ彼又ハ前述外人ヲ通シテ中國共
産党及ビ「コミンテルン」ニ通達サレルモノト信シテ居
マシタ

水野二ノ四

九

問　被疑者ガ鬼頭一派ノ諜報団ニ於テ為シタル諜報活動ハ如何

答　私ハ昭和六年五月上旬ヨリ約一ケ月間中國共産軍討伐ニ従事中ノ南京政府軍ノ編成、配置、兵力等ヲ支那新聞記事及ヒ東亜同文書院ノ左翼中華聯ノ汪
汪　鼎
等ニ依ツテ調査シマシタ
ソノ間仝年五月中旬ニ一回
上海南京路
デヨコレートショツプ
ニ於テ
鬼頭銀一
ト連絡シテ報告シマシタガ、ソノ約一週間後ノ連絡日ニ鬼頭ガ来ズ其ノ後彼ノ消息ガ判ラナクナリマシタノデ鬼頭ヲ紹介シタ
楊

ニ相談シテ活動ヲ中止シマシタ

卞 問 右活動ニ対シテ報酬ヲ貰ツタカ、

答 貰ヒマセンデシタ、

土 問 尾崎秀實一派ノ諜報団ニ加盟シテ活動スルニ至ツタ
経緯ノ概要ハ如何

答 昭和十年末頃テ上京中ノ
尾崎 秀實
ヲ訪ネテ上京シタ際上海在住中、鬼頭ヨリ紹介
サレタコトノアル前述西洋人ヲ尾崎ヨリ上野池
ノ端ノ某料理店デ紹介サレテ尾崎ガコミンテルン
ノ諜報活動ニ何等カノ関係アル事ヲ推察シマシタ
其ノ後私ハ昭和十一年六月上京シマシタガ今年八
月頃アメリカデ開催サレタ、汎太平洋会議ニ尾崎
ガ日本代表ノ一員トシテ渡米スル直前頃彼ガ
君モ従来ノ関係カラ想像出来ル様ナ仕事ヲ
ヤツテ居ルカラ協力シテ呉レ

水野二ノ五

ト言ハレタノデ私ハソノ仕事ガ「コミンテルン」ノ諜報活動デアルコトヲ察知シマシタガ私ハ斯ル活動ガ世界革命實現ノ立場カラ重要ナルモノデアルト信シテ居マシタノデソレヲ承諾シタ次第デアリマス

十一

問　尾崎一派ノ諜報団ノ本質ニ対スル認識ノ概要ハ如何

答　コノ諜報団ハ近年ニ於ケル日本ノ地位ガ國際的ニ常ニ重要ナモノトナツテ居リ從ツテ「コミンテルン」ノ究極ノ目的トスル世界革命實現ノ見地カラ極メテ重要ナ地位ヲ持ツ日本ノ諸般ノ情報ノ探知蒐集ヲ目的トシタモノデアリマス

十二

問　全諜報団ノ組織並ニ連絡方法ニ対スル認識ノ概要ハ如何

答　私ノ知ツテ居ルコノ諜報団ノメンバーハ前述ノ西洋人ノ外

尾崎秀實

宮城與徳

私

尾崎 秀實

デ其ノ他ニ外人ガ関係シテ居ルト思ッテ居リマス、

ハ主トシテ其ノ社會的地位ヲ利用シテ政治、経済ノ外

文筆ニ関スル情報並ニ重要資料ヲ探知蒐集シ、

宮城 與徳

ハ主トシテ軍事方面ノ情報等ヲ探知蒐集シテ居タ様

デアリマス、私ハ尾崎ノ命ヲ受ケテ活動シテ居マシタ、

前述ノ外人トノ連絡ニ就テハ詳ニシマセンガ主トシテ

宮城 與徳

ガ之ニ當ッテ居タヤウデアリマス、

私ハ常ニ尾崎方ニ出入シテ居タノデ活動上ノ連絡ハ其ノ際

ニシテ居マシタカ宮城ト尾崎トモ主トシテ尾崎ノ家

デ連絡シテ居タ様デアリマス、尚ホ「コミンテルン」トノ連

絡ハ前述ノ外人ガ主トシテ之ニ當ッテ居ルモノト推察

シテ居マシタ、

水野 二〇六

十四、問　被疑者ノ仝国ニ於テ為シタル諜報活動ノ概要ハ如何

答　私ハ昭和十一年七月末頃ヨリ約二ケ月ノ渡米中彼カラ紹介サレタ

尾崎秀實

宮城與徳

ト週一回乃至隔週一回何時モ夕方当時

滝野川区西ケ原番地不詳岡井方

ニ彼ヲ訪問シテ政治経済等ニ関スル情報ノ交換ヲ行ツテ居マシタガ其ノ間宮城ノ依頼ニ依ツテ

橋本欣五郎大佐

ノ提唱セル革新運動ノ活動方針、組織方針等ヲ

三大情報

其ノ他ノ雑誌ノ記事ヲ綜合シテ纏メテ彼ニ報告シマシタ、

其ノ後仝年末前述ノ如ク私ハ検挙サレタ為ニ活動ガ一時中絶シマシタガ昭和十三年六月再ビ上京シ尾崎ト

ノ連絡ヲ始メルニ及ンデ活動ヲ復活シ以来今回ノ検挙迄ノ間ニ彼（尾崎）ノ命ニ依ツテ昭和十五年二月頃第七十八議會ヲ通ジテ現ハレタ既成政党解消運動ニ関スル各政党ノ動向ヲ日刊新聞ノ記事ヲ資料トシテ分析綜合シテ纏メ、並ニ直後数年前ヨリノ革新運動ノ動向ヲ協調會発行ノ

「労働年鑑」

「社會政策時評」

及ビ

木下半治著

「日本國家主義運動史」

其他日刊新聞記事ヲ分析綜合シテ調査シ今年夏頃支那事変發生後ノ日本農村ノ経済状態ヲ

「帝國農會報」

「農業年鑑」

「日本農業新聞」

水野二ノ七

「産業組合時報」等ノ記事ヲマルクス主義的立場ヨリ分析綜合シテ調査シ何レモ資料トシテ尾崎ニ手交シマシタ、又昭和十四年夏帰郷ニ際シテハ十六師団ノ派遣セル兵ノ調査ヲ本年八月帰郷ニ際シテハ京都師団ノ本年六月召集兵ノ満洲出動ノ有無ノ調査ヲ命ゼラレ前者ハ日刊新聞記事ヤ近隣者ニ依リ、後者ハ応召者ノ家族等ニ就テ探知シ前者ハ簡単ナルメモトシ、後者ハ口頭ヲ以テ報告シマシタ、尚後者ハ本年八月上旬帰京当時尾崎秀実ガ旅行不在中デシタノデ先ヅ宮城與徳ニ報告シ尾崎ニハ彼ガ帰京後報告シマシタ

又本年八月帰京直後細川嘉六方ニ於テ京都師団ノ応召者（本年七月末ノ）全員ガ出動シタコトヲ聞知シタノデ早速ソノ旨ヲ宮城ニ報告シマシタ、

尚私ハ平素ヨリ其ノ時々ノ政治、経済問題等ニ関スル大家ノ動向ニ意ヲ用ヒ之ヲ尾崎ニ報告シテ居マシタ外尾崎ヲシテヨリ以上ニ諜報活動ニ従事セシムル為メ昭和十四年以降彼ガ依頼サレタ論文著書ノ原稿ノ代筆、資料ノ作成等ヲシテ居マシタ

以上ガ私ノ現在記憶ニアル尾崎一派ノ諜報団ニ於ケル私ノ活動ノ全部デアリマスガ其ノ詳細ハ追テ申上ゲマス。

六、問　右活動ニ於ケル報酬及活動費用等資金関係ハ如何

答、特ニ活動ニ対スル報酬トシテ貰ッタ事ハアリマセンガ昭和十四年末頃迄ハ時々拾円乃至弐拾円位生活費ノ補助トシテ貰ヒマシタ

又代筆シタモノ、原稿料モ時々貰ヒマシタ

被疑者　水野　成

右閲読セシメタルニ無相違旨申立テ署名拇印セリ

水野二ノ八

即日　於　荻窪　警察署

警視廳特別高等警察部特高第一課

司法警察官　警部補　河野　啓

司法警察吏

警視廳巡査　深瀬　文太郎

(十三)

第二回被疑者訊問調書

被疑者 宮城與徳

右者ニ対スル治安維持法並國防保安法違反被疑事件ニ付東京刑事地方裁判所検事井本臺吉ノ命令ニ因リ昭和十六年十月二十六日築地警察署ニ於テ司法警察官警部補 柘植準平ハ司法警察吏巡査 依田哲 立會ノ上右被疑者ニ対シ訊問スルコト左ノ如シ

一、問 被疑者ノ犯罪ノ前歴如何

答 私ハ今迄ニ犯罪ニ依リ処刑サレタ事ハアリセン

二、問 被疑者ノ共産主義信奉過程ノ概略如何

答 私ハ大正九年渡米後大正十二年ロスアンゼルスアーテストリーグ(絵画研究所)ニ入所シタ頃ヨリフランス革命ニ参加シタ優レタ画家「ドーミエ」ニ心酔シイデロギーヤ文学ニ興味ヲ持チマキシムゴーリキーヤトルストイノ作品ヲ耽読無政府主義思想ヲ持ツニ至リ更ニ共産主義者

二〇一

福永孝人

ハーバック　ハリス（ソ聯）

等ト交遊スルニ及ビ共産主義ヲ信奉スルニ至リマシタ。

三、問　被疑者ノ共産主義運動経歴ノ概要如何

答　昭和二年頃アメリカ共産党日本人部ノ外廓団体タル文化団体

プロレタリヤ芸術会　赤色救援會日本人支部

ニ党員（米国共産党）

吉岡　某

ノ勧誘ニ依リ入会致シ次デ昭和四年頃アメリカ共産党日本人部員

矢野　某（武田トモ称ス）

ノ勧誘ニ依リ同党日本人部ニ加盟　党員トシテ諸種ノ會合ニ出席スル等共産主義活動ヲ致シマシタ。

四、問　被疑者ガ今次諜報活動ヲ為スニ至リタル経過ノ概

答

要如何

昭和七年末頃「サンフランシスコ」ニ居住シテ居タ「コミンテルン」ノ組織者タルアメリカ共産党員

矢野某（武田トモ称ス）

ガ突然私ノ住居ニ國籍ハ不明デシタガ白人ノ「コミンテルン」ノ男ヲ一人同道シテ来テ「サンタモニカ」海岸ヲドライブシ乍ラ矢野ハ「君ハ東京ニ帰ツテ呉レ君ノ仕事ハ東京ニ行ケバ判ル」ト云ヒマシタノデ私ハ之レヲ承諾致シマシタ。

私ハ其ノ後旅費ヲ作ル目的デ個人展覧会ヲ開キ又ハ兄與璧ヨリ旅費トシテ若干ノ金ヲ貰ヒ昭和八年十月末サンピドロ港ヨリぶえのすあいれす丸ニ乗船同年十一月末横濱港ニ入港帰國致シマシタ

帰國ノ直前

矢野某

ヨリ帰國ノ使命トシテ「君ガ東京ニ着イタ頃ノ

二〇二

ジャパン アドバタイザー ニ浮世繪買入レタレト云フ廣告ガ出ルカラ 其ノ廣告ヲ出シタ廣告社ニ行キ廣告主ニ會フ様取計ツテ貰ヒ其ノ人ニ會ツタラ「マツクス」ザンデスカト訊ネタラ判ル答ニナツテ居ル」云々ト連絡方法ヲ指示シテ旅費トシテ二百米弗ヲ貰ヒマシタ。ソシテ其ノ仕事ハ約一ケ月位デ終ルカラ渡米スル様ニト言ハレマシタ。然シテ 昭和八年十一月中旬東京ニ来テ ジャパン アドバタイザー ヲ注意シテ居リマスト

矢野某

ノ言ツタ通リ「浮世繪買入レタレ」トノ廣告ガ出マシタノデ其レカラ三日目位ニ神田区錦町河岸ノ某廣告社ニ行キ其処ノ事務員ニ廣告主ニ面會方ヲ依頼シマシタ。数日後其ノ廣告社ニ於テ一人ノ外國人ニ會フ事ガ出来マシタノデ私ハ其ノ人ニ対シ私ハ「マツクス」サンデスカト訊ネマスト同人ハ

「自分ハマックス　デハナイが　君が會イタイト云フマックスニハ上野公園ノ美術館前デ會フ事が出来ル　彼ハ青イネクタイヲシテ居ルカラ　君ハ黒ネクタイヲシテ行ク様ニ」ト　指示シ　其ノ連絡ノ日時ヲ指定サレテ別レマシタ。

指定サレタ同年十一月下旬ノ某日　上野美術館前ニ於テマックス　ト称スル男ト連絡ガツキマシタ、其ノ時ハ別段話ハナク美術館ニ入リ絵画ノ観賞ヲシテ次ノ連絡場所　日時ヲ約シテ　別レマシタ。

五、問　被疑者が廣告社ニ於テ會ッタ外人ハ此ノ写真ノ男デアルカ、

（此ノ時司法警察官ハ「ブランコ　ヴーケリッチ」ノ写真ヲ被疑者ニ示ス）

答　其ノ男ニ相違アリマセン、私ハ此ノ男ヲ「ヤングフエロー」ト呼ンデ居リマシタ。

二〇三

六、問、被疑者ガ上野美術館前ニ於テ連絡シタ外人ハ此ノ男カ。

（此ノ時司法警察官ハ゛ゾルゲ゛ノ写真ヲ被疑者ニ示ス）

答、其ノ男ニ相違アリマセン、其ノ男ハ当時マックスト呼ンデ居リマシタガ後ニ非合法的連絡ヲスル様ニナッテ「スミス」ト云フ連絡名ヲ作リ使ッテ居リマシタガ 昭和十五年頃ヨリ同人ノ自宅麻布区長坂附近ニ行ク様ニナッテカラ「ゾルゲ」ト云フ本名ヲ知リマシタ。

七、問、被疑者ガゾルゲト連絡シ今次諜報活動ヲ為スニ至ッタ時期ハ何時頃カ、

答、私ハ「ゾルゲ」ハコミンテルンノ人デアルト云フ事ヲ信ジテ屢々連絡ヲ取ッテ来ル内、翌昭和九年一月頃ニナッテ同人カラ日本ニ居テ仕事ヲスル様ニ云ハレマシテ承諾シマシタ、其ノ間同人ヨ

リ適当ナ青年即チ社会的ニ相当ナ地位ノアル人デ当局カラ注意サレテ居ナイ人ヲ紹介スル様ニ云ハレマシタガ適当ナ人ヲ発見スル事ガ出来ズ遂ニ私ガ「ゾルゲ」ノ指図ニ従ヒ各種ノ情報ヲ探知蒐集シテ之レヲ同人ニ提供スルト云フ重大任務ヲ担当スルニ至リマシタ勿論「ゾルゲ」ハコミンテルンノ男デアルノデ私ガ集メタ情報ハ当然コミンテルンニ通報サレル事ハ考ヘテ居リマシタ大体其ノ時期ハ昭和九年一月頃カラデアリマス。

八、問　被疑者ノ今次「ゾルゲ」一派ノ諜報団体ニ対スル認識ノ概要如何

答、詳細ハ後日申シ上ゲマスガ「ゾルゲ」一派ノ諜報団ノ目的ハ共産主義者トシテソヴエート聯邦擁護ノタメコミンテルンノ必要トスル主トシテ日本其ノ他ソヴエート聯邦ヲ除ク各国ノ政治

二ノ四

経済、軍事、社会、状勢等各項ノ情報資料ヲ探知蒐集シ之レヲコミンテルンニ通報スル事ニアルノデアリマス。

九、問　被疑者ガ干係スル今次諜報団体ノ組織並ニ連絡方法ノ概要如何

答　其ノ詳細ハ追ッテ申シ上ゲマスガ概要ヲ述べマスト中心分子ハ

ゾルゲ

デ其ノ周囲ニ

ヤングフエロー

マックス

私（宮城與徳）

尾崎秀實

ノ四人ガ居リ

ヤングフエロー

ハ集メタ情報資料ノ寫眞事務ヲ担當シ

マックス

ハコミンテルンニ送ル情報ノ発信乃至指令ノ
受信ヲ担当シ

私（宮城與徳）

及ビ

尾崎秀實

ハ各種情報資料ノ探知蒐集ニ当ッテ居リマス
私ヤ尾崎ノ集メタ情報ヤ資料ハ

ゾルゲ

ガ取捨選擇シテ之レヲコミンテルンニ送ッテ居
リマシタ、其ノ他ニ私ガ情報資料ノ英訳ヲ
手伝ハシタ男ニ

秋山幸治

ガアリマスガ此ノ男ハ諜報団ノグループ外デ
アル考ヘラレマス。其ノ連絡方法ハ

私（宮城）対ゾルゲ

二〇五

ハ昭和八年十一月初メテ会ッタ時カラ 昭和十五年秋頃マデハ十日乃至二十日間ニ一回位ヅヽ銀座八丁目喫茶店資生堂、不二家喫茶部、上野公園下料理屋山下、同島なぐ等喫茶店料理屋等デ連絡シテ居リマシタガ 昭和十五年秋頃以降ハ外人ニ対スル取締ノ強化ニ伴ッテ危険ヲ感ジタノデ同人ノ自宅（麻布区長坂町近）ヲ使用シテ大体十日間ニ一回位訪問シテ居リマシタ 其ノ連絡ハ定期的デナク連絡ノ都度次ノ連絡日時場所ヲ決メテ居リマシタガ ゾルゲ ガ事故ニ依リ連絡ヲ切ッタ時ハ ヤングフエロー ヲ通ジテ私ト ゾルゲ ノ連絡ヲ回復シテ居リマシタ。

実 二

私（宮城）対　尾崎秀實

ノ連絡ハ同人ガ昭和九年末東京朝日新聞社ニ
転勤シテカラハ大体一ヶ月ニ一回位東京朝日新
聞社ニ電話ヲカケテ呼出シ銀座附近ノ喫茶店
又ハ画廊等デ會ッテ居リマシタガ昭和十四
年末頃カラハ同人ノ自宅（目黒区中目黒祐
天寺附近）デ會ッテ居リマシタ。
尚以上申上ゲマシタ各項ハ極メテ概略デア
リマスカラ詳細ハ後日申シ上ゲマス
陳述人　宮城　與徳

右讀ミ聞ケタル処相違ナキ旨申シ立テ署名拇
印シタリ。
即日　於　築地警察署
警視廳特別高等警察部特高第一課
司法警察官

二ノ六

警視庁警部補　柘植準平

司法警察吏

警視庁巡査　依田哲

第三回被疑者訊問調書

被疑者　宮城與徳

右者ニ対スル治安維持法並国防保安法違反被疑事件ニ付東京刑事地方裁判所検事井本臺吉ノ命令ニ因リ昭和十六年十月二十七日築地警察署ニ於テ司法警察官警部補柘植準平ハ司法警察吏巡査舟生稔立會ノ上右被疑者ニ対シ訊問スルコト左ノ如シ

一、問　被疑者ノ今次諜報活動ノ概要如何

答　私ノ諜報活動ハ昭和九年一月頃ヨリ現在迄続イテ居リマス　其ノ内容ハ

ゾルゲ

ノ命ニ依リ主トシテ日本ノ

政治情勢

社會情勢

軍事情勢

経済情勢

宮城　三ノ一

其ノ他ノ情報資料ノ探知蒐集デアリマス之等ノ情報資料ハ自分ガ直接巷間ノ談話並ニ各種ノ出版物等ヨリ探知シ又ハ類推シテ報告書トシテ

ゾルゲ

ニ渡シテ居リマシタガ尚其ノ他

喜屋武保昌
山名正實
小代好信
高倉テル
九津見房
川合貞吉
水野成
篠塚虎男
徳田正次
菊地一郎

小林トモ
田口右源太
尾崎秀實
等ノ人々ヨリ探知シ夫レヲ
ゾルゲ
ニ報告シテ居リマシタ、其ノ報告シタ内容ヲ
年度ヲ追ッテ申シ上ゲマスト
昭和九年中ハ
(一)日本ノ一般社會状勢
(二)日本ノ対ソ攻撃準備情況
等、
昭和十年中
(一)日本ノ一般社會情勢
(二)日本ノ政治情勢
等、
昭和十一年中

宮城 三ノ二

(一) 軍部特ニ陸軍ノ人的關係
(二) 滿洲國ノ治安狀況
(三) 日本ノ一般社會情勢
(四) 步兵操典其ノ他軍事干係資料ノ提供
(五) 二、二六事件及同事件ニ伴フ日本國內情勢ノ變化
(六) 日本ノ一般的政治、經濟、社會情勢

等

昭和十二年中

(一) 日本ノ一般的政治、經濟、社會情勢、
(二) 支那事變勃発後ニ於ケル國內情勢ノ刻々ノ推移、特ニ支那事變処理ニ干スル日本ノ最高方針

等、

昭和十三年中

(一) 日本ノ一般的政治、經濟、社會情勢

（二）張鼓峰事件ノ各種状況

等

昭和十四年中

（一）日本ノ一般的政治經濟社會情勢

（二）日本軍部ノ動向

（三）支那事變地及南方ニ対スル軍事行動ニ干スル軍部並ニ政界上層部ノ意嚮

（四）銃後國民ノ一般動向

（五）京阪地方ニ於ケル織物業者ノ窮迫状況及同方面ノ食糧需給状況

等

昭和十五年中

（一）日本ノ一般的政治經濟、社會状勢

（二）支那派遣軍ノ兵力量

（三）農村ニ於ケル生活窮迫状況

（四）食糧不足状況

宮城 三ノ三

(五) 満洲ニ於ケル石炭採掘状況

等、

昭和十六年中

(一) 日本ニ於ケル一般的政治、経済、社会情勢

(二) 満ソ國境及ビ樺太方面ニ於ケル兵力配備状況

(三) 昭和十六年八月付満鉄東京支社発行ノ「新情勢ノ日本政治経済ニ及ボス影響調査」

(四) 南方問題ニ対スル日本ノ政治指導部ノ動向

等デアリマス。 更ニ申シ遅レマシタガ昭和九年五月頃

ゾルゲ

カラ何処カデ連絡シタ時ニ「自分ガ上海デ會ッタ事ノアル東京朝日新聞ノ東京日々

新聞ノ特派員デアッタ尾崎某ヲ探シテ自分ニ会ワカドウカ探ッテ見テ呉レ」云々ノ意味ノ事ヲ命ゼラレマシタ。其処デ私ハ東京朝日新聞社ニ行ッテ調査シマシタガ判ラヌノデ大阪市ニ赴キ大阪毎日新聞社ニ訪ネ調ベタ処大阪朝日新聞社ニ記者トシテ在社スル事ガ判ッタノデ直チニ同社ニ行キ私ハ仮名

南　龍一

ノ名刺デ面会ヲ求メマシタ。恰度

尾崎

ガ在社シテ居テ会ッテ呉レマシタノデ応接室デ約十五分位ノ間ニ私ハ

ゾルゲ

ノ名前ハ告ゲズ「貴方ト上海デ知合ヒノ外人ガ会ヒタガッテ居ルガ会ッテ呉レマセンカ」ト云ヒマシタ処同人ハ誰ノ事カ判ラヌ様ナ態

宮城　三ノ四、

度ヲ示シマシタノデ更ニ「背ノ高イ外人デ貴君ノ奥サンノ事モ令嬢サンノ事モヨク知ッテ居ル人ダ」ト付加ヘマスト同人ハ思ヒ出シタラシク「其ノ事ナラ今一度會イタイ」トノ事デアッタノデ同日夕刻大阪朝日新聞社附近ノ料亭白蘭亭デ食事ヲ共ニシ乍ラ其ノ事ヲ話シ合ヒマシタガ同人ハ余リ気ガ進マナイ様子デアリマシタガ兎ニ角明日自宅ニ来テ呉レト云フ事デアッタノデ確カ翌日ノ日曜日ニ教ヘラレタ阪神沿線ノ芦屋附近ノ尾崎方ヲ訪ネ重ネテ話シタ結果同人ノ承諾ヲ得タノデアリマス、ソシテ連絡場所及日時ハ同人ト話シ合ヒニ依リ数日後奈良公園帝室博物館脇ト定メ私ハ直チニ辞去シテ即日帰京シテ場所ハ忘レマシタガ豫テ約束シテ

置イタ場所デゾルゲニ復命致シマシタ

ゾルゲト尾崎秀實ノ連絡ハ其ノ時ニ復活シ現在迄継続サレテ居ルノデアリマス、

二、問　被疑者ノ今次諜報活動ノ報酬並ニ費用等ノ資金関係如何

答、昭和九年一月私ガゾルゲノ指図ニ依リ各般ノ情報資料ノ探知蒐集ノタメ活動スル様ニナツテカラ別ニ報酬トシテゾルゲヨリ金品ヲ受取ツテ居タ事ハアリマセンガ

宮城　三ノ五

諜報活動ノ費用トシテ必要ノ都度私カラ
ゾ　ル　ゲ
ニ要求シテ受取ッテ居リマシタガ其ノ額ハ
昭和九年一月以来大体一ヶ月二百円前後デ
アリマス、之レハ一定シテ居ル訳デハナク
百　円、　二百円、　三百円
等ト其ノ都度額ハ違ッテ居リマシタ、最後
ニ受取ッタノハ昭和十六年十月六日
ゾ　ル　ゲ
ニ自宅デ同人ヨリ
百　円
ヲ受取リマシタ、　昭和十四年一杯頃マデ
ハ私ガ絵画ノ製作ニ依ッテ得ル収入ニ依ッテ
生活費ニ充当シマシタガ、昭和十五年頃ヨ
リハ絵ノ売レ口モ少ナクナリ
ゾ　ル　ゲ

ヨリ受取ル活動費ノ一部ハ私ノ生活費ニモナ
ッテ居リマス　其ノ外

尾崎　秀實

カラ時ニ多少ノ融通ハ受ケタ事ハアリマス
ガ之レハ其ノ都度返済シテ居リマスノデ
特ニ活動費ヲ受取ッタ事ハアリマセン、其ノ
外私ガ情報蒐集ノ目的ノタメ生活費ノ
一部ヲ援助シテ居タ者ニハ

小代　好信
川合　貞吉
山名　正実
秋山　幸治

等ガアリマス、之レハ特ニ纏ッタ額デハア
リマセンガ十円乃至五十円位ノモノデ
アリマス

三、問　外ニ何カ云フ事ハナイカ。

宮城　三ノ六、

答　別ニ何モ言フ事ハアリマセン

陳述人　宮城與徳

右讀ミ聞ケタル処相違無キ旨申シ立テ署名拇印シタリ

即日於築地警察署

警視廳特別高等警察部特高第一課

司法警察官

警視廳警部補　柘植準平

訊問調書

水野成

右者治安維持法違反被疑事件ニ付昭和十六年十月十七日荻窪警察署ニ於テ検事吉河光貞ハ裁判所書記三村喜久治立會ノ上右被疑者ニ對シ訊問スルコト左ノ如シ

一、問　氏名年令職業住居本籍及出生地ハ如何

答　氏名ハ水野成

年令ハ當三十三年

職業ハ辞典編輯事務員

住居ハ杉並区荻窪三丁目四十一番地

明蘭荘一号

以ノ一

本籍ハ北海道上川郡上川村字菊水五百三番地
出生地ハ京都府與謝郡加悦町字加悦番地
不詳

二、問　被疑者ノ検挙ノ前歴

答　昭和五年十二月末頃上海領事館警察ニ
検挙サレ十日間拘束サレテ釈放サレマシタ
其ノ事件ハ東亜同文書院ノ門前附近デ何
人カノ日本ノ海軍士官候補生ニ左翼ノアジ
ビラヲ配布シタコトガアリソレハ同書院ノ左
翼学生ガシタコトダラウト思ハレ斯様ナ傾
向ノアツタ私達学生十名位ガ一緒ニ検挙

サレタノデアリマス次ニ昭和六年八月頃支那ノ
上海公安局警察ニ検挙サレマシタガ日本人ト
名乗リマシタタメ即日領事館警察ニ引渡サレ
十日間位拘束サレタ上日本ヘ送還サレマシタ
其ノ事件ハ私ノ下宿先デアル上海北四川路ノ
支那人ノ家ニ廣東政府関係ノ支那人ガ同ジク
間借シテ居リ之等ノ人々ガ検挙サレタ時私モ
一緒ニ巻添トナツタノデアリマス
次ニ昭和十一年十二月二十日頃警視廳管下ノ
世田谷警察ニ検挙サレテ取調ヲ受ケ昭和十三
年二月十二日頃釈放サレマシタ、其ノ事件ハ
私ガ関西地方デ知合ツタ共産主義者

次ノ二

和田四三四

ガ指導シテ居タ日本共産党再建運動ニ協力
シタ治安維持法違反事件デアリマシタガ起訴
猶豫ノ處分ヲ受ケタノデアリマス

三、問　被疑者ノ学歴ハ

答　私ハ昭和四年四月上海ノ東亜同文書院ニ入学
シマシタガ中國共産党ノ共産主義青年同盟ニ
参加シ共産主義運動ニ従事シテ居リマシタタメ
昭和六年一月ニ無期停学ニ處セラレ同年五月
頃遂ニ退学處分ニ附サレマシタ

四、問　被疑者ハ数年前ヨリ共産主義ヲ信奉シコミン
テルン並ニ日本共産党ヲ支持シ連絡會合其ノ他ノ

方法ニヨリコミンテルン及日本共産党ノ目的
實現ノタメ諸般ノ活動ヲシタトノ嫌疑デ取
調ベルガ如何
答
御訊ネノ通リ相違アリマセヌ
詳細ハ追ツテ申シ上ゲルコトニ致シマス
被疑者　水野成
右録取シ讀聞ケタルニ無相違旨申シ立テ
署名拇印シタリ
前同日
於荻窪警察署
東京刑事地方裁判所検事局
検事　吉河光貞

Kノ三

裁判所書記　三村喜久治

第二回被疑者訊問調書

被疑者　水野成

右者ニ對スル治安維持法並ニ國防保安法違反被疑事件ニ付東京刑事地方裁判所検事玉澤光三郎ノ命令ニ因リ昭和十六年十月二十七日荻窪警察署ニ於テ司法警察官警部補河野啓ハ司法警察吏巡査深瀬六郎立會ノ上右被疑者ニ對シ訊問スルコト左ノ如シ

一、問　被疑者ノ犯罪ノ前歴ハ如何

答　昭和五年十二月末東亜同文書院二年在學中在留日本人ガ學校門前ニ於テ日本ノ海軍士官候補生ニ共産主義宣傳ビラヲ手渡シタ爲ニ其ノ犯人ガ東亜同文書院ノ學生デアルト

水ノ二ノ一

見做サレテ私達元翼学生六、七名ガ上海日本總領事館警察ニ検挙サレ十日間拘束サレマシタ

次デ昭和六年八月中旬上海公安局警察ニ反南京政府派狩リノ巻キ添ヘヲ食ッテ検挙サレ日本人デアル事ガ判ッタ為ニ上海總領事館警察ニ引キ渡サレ十日間拘束サレタ後送還サレマシタ

帰国後昭和十一年十二月末、大原社会問題研究所ニ勤務中 仝所員ニシテ共産主義者

和田四三四

ノ日本共産党ノ再建準備活動ヲ援助シテ

居タ為メ東京世田谷警察署ニ検挙サレ昭和十三年二月起訴猶豫處分トナツテ釈放サレマシタ

二、問　被疑者ノ経歴ノ概要ハ如何

答　私ハ昭和三年三月京都府立宮津中學校ヲ卒業シテ昭和四年四月在上海東亜同文書院ニ入學シマシタガ昭和六年六月中途退學シ仝年八月末歸國シマシタ

昭和八年十二月大阪市ノ大原社會問題研究所ニ入所シ昭和十一年六月上京シテ東洋協會ニ就職シマシタ

仝年十二月末検挙サレタ為ニ仝協會ヲ辞職

比ノ二ノ二

シ昭和十三年二月起訴猶豫處分トナッテ釈放後仝年六月昭和研究會ニ就職シマシタガ昭和十四年秋辭職シ約八ヶ月依囑サレテ大日本青年團本部ノ年鑑編纂ニ従事シ昭和十六年一月ヨリ坂本記念會ノ支那百科辭典ノ編輯ニ従事シテ居リマス

三 問 被疑者ガ共産主義ヲ信奉スルニ至ッタ過程ノ概要ハ如何

答 私ハ昭和五年四月東亜同文書院ノ二年ニナッテ文藝部ニ加入シ仝部ノ委員デアッタ四年生

安斉庫治

ノ影響ヲ受ケテ次第ニマルクス主義文献ヲ愛読スルヤウニナリ又當時大阪朝日新聞ノ特派員トシテ上海在住中デアツタ
尾崎秀實
ノ指導ヲ受ケテ今年十月頃ニハ共産主義理論ヲ信奉スルニ至リ次来今日迄之ヲ堅持シテ居リマス

四、問　被疑者ノ共産主義運動経歴ノ概要ハ如何
答　私ハ昭和五年十月東亜同文書院内ニ
安斎庫治
白井行幸
ト共ニ

K／ニテ三

フ　ノ　二　三

中國共産主義青年團

ノ細胞ヲ設ケテ同學院中華部學生ノ團員

王　某

郭　某

ト連絡シテ學内ニ共産主義ノ宣傳ヲ行ヒ又

今年十一月頃ニハ學生ヲ指導シテストライキ

ヲ行ヒマシタ

昭和六年一月停學處分ヲ受ケテ後今年八

月末帰國迄ノ間ハ中國共産黨員

楊　某

ト連絡シテ學外ヨリ同級生デアツタ

酒巻　隆

ヲ通ジテ學内ノ左翼學生ヲ指導シ又中國ソヴィエットノ援助資金ヲ左翼學生ヨリ集メマシタ
又昭和十年四月頃以降昭和十一年五月頃迄當時私ノ勤務先デアツタ大原社會問題研究所員ノ
和田四三四
ガ日本共産黨ノ再建ノ為メノ活動ヲシテ居ルコトヲ知リナガラ同人ニ對シテ世界情勢支那革命等ニ関スル宣傳材料ヲ提供シテ同人ノ運動ヲ援助シマシタ

五

問　被疑者ノ今次諜報活動ノ經歴ハ如何

答　私ハ上海在住中昭和六年五月頃約一ヶ月

水ノ二ノ四

鬼頭銀一

等ノ諜報活動ニ参加シテ活動シマシタ

帰國後昭和十三年夏以降今日迄

尾崎秀實、

宮城與徳

等ノ諜報團ニ加盟シテ活動シテ居マシタ。

六、問　鬼頭銀一等ノ諜報團ニ関係シテ活動スルニ

至ツタ経緯ノ概要ハ如何

答　昭和六年四月下旬頃豫テ交友関係ノアツタ

中國共産党員

楊　某

ヲ通ジテ

鬼頭銀一ニ紹介サレ鬼頭カラ支那革命ヲ援助スル為メ共産軍討伐ノ南京政府軍ノ動静ヲ調査スル事ヲ依頼サレ私ハ支那革命ガ世界革命ノ重要ナ一部分ヲナスモノデアルト信ジテ居マシタ為ニソレヲ承諾シテ諜報活動ヲナスニ至ツタ次第デアリマス

七 問 鬼頭ノ張ノ諜報團ノ本質ニ對スル認識ノ概要ハ如何

答 私ハ「コミンテルン」ノ究極ノ目的トスル世界革命ノ實現ノ為ニ重要ナ一部分ヲナシテ居ル支那革命遂行上必要ナル諸般ノ情報ヲ探知ニ

Kノ二ノ五

蒐集スル事ヲ目的トシタルノデアルト信ジテ居マシタ

八、問　鬼頭一派ノ諜報團ノ組織並ニ連絡方法等ニ對スル認識ノ概要ハ如何

答　昭和六年五月中旬頃鬼頭銀一ヨリ一西洋人（四十五、六才ニ見エ丈ハ五尺八寸位アリガッチリシタ体格デ容貌魁偉ナ男）ヲ紹介サレタ事實及ビ鬼頭ガ中國共産党ト連絡アル事實等ヨリシテソノ諜報團ガ鬼頭始メ支那人西洋人等ニヨッテ組織サレテ居ルモノト推察シマシタガ、其ノ連絡方法ニ就テモ詳シク知リマセンガ

鬼頭銀一

ガ蒐集シタ情報ハ彼又ハ前述外人ヲ通ジテ
中國共産党及ビ「コミンテルン」ニ通達サレルモノ
ト信ジテ居マシタ

九、問　彼疑者ガ鬼頭一派ノ諜報團ニ於テ為シタル諜
報活動ハ如何

答　私ハ昭和六年五月上旬ヨリ約一ヶ月間中國共
産軍討伐ニ從事中ノ南京政府軍ノ編成配置
兵力等ヲ支那新聞記事及ビ東亜同文書院ノ
左翼中華學生
汪　某
等ニ依ッテ調査シマシタ
ソノ間今年五月中旬ニ一回

K、ヒノ一八

フ ミ ト

上海南京路
チョコレートショップ
ニ於テ
鬼頭銀一
ト連絡シテ報告シマシタカ其ノ約一週間後ノ
連絡日ニ鬼頭ガ来ズ其ノ後彼ノ消息ガ判
ラナクナリマシタノデ鬼頭ノ紹介シタ
楊
ニ相談シテ活動ヲ中止シマシタ

十問　右活動ニ対シテ報酬ヲ貰ヒマシタカ

答　貰ヒマセンデシタ

十一問　尾崎秀実一派ノ諜報団ニ加盟シテ活動スルニ

至ッタ経緯ノ概要ハ如何

答 昭和十年末頃デ上京中ノ

尾崎秀實

ヲ訪ネテ上京シタ際 上海在住中鬼頭ヨリ紹介サレタコトノアル前述西洋人ヲ尾崎ヨリ上野池ノ端ノ某料理店デ紹介サレテ尾崎ガ「コミンテルン」ノ諜報活動ニ何等カノ関係アル事ヲ推察シマシタ

其ノ後私ハ昭和十一年六月上京シマシタガ仝年八月頃アメリカデ開催サレタ太平洋会議ニ尾崎ガ日本代表ノ一員トシテ渡米スル直前頃彼ガ

ソノ二ノ七

君モ従来ノ関係カラ想像出来ルヤウナ仕事ヲヤッテ居ルカラ協力シテ呉レト云ハレタノデ私ハソノ仕事ガコミンテルンノ諜報活動デアルコトヲ察知シマシタガ私ハ斯ル活動ガ世界革命實現ノ立場カラ重要ナルモノデアルト信ジテ居マシタノデソレヲ承諾シタ次第デアリマス

十二 問

尾崎一派ノ諜報團ノ本質ニ對スル認識ノ概要ハ如何

答

コノ諜報團ハ近年ニ於ケル日本ノ地位ガ國際的ニ非常ニ重要ナモノトナッテ居リ從ッテコミンテルンノ究極ノ目的トスル世界革命實現ノ見地

カラ極メテ重要ナ地位ヲ持ツ日本ノ諸般ノ情報ノ探知蒐集ヲ目的トシタモノデアリマス

十三問　今諜報團ノ組織並ニ連絡方法ニ對スル認識ノ概要ハ如何

答　私ノ知ツテ居ル此ノ諜報團ノメンバーハ前述ノ西洋人ノ外

尾崎秀實
宮城與徳
私

デ其ノ他ニ外人ガ関係シテ居ルト思ツテ居リマス

尾崎秀實

{C}ノ二八

ヲ　ニ　ノ

ハ主トシテ其ノ社會的地位ヲ利用シテ政治
経済、外交等ニ関スル情報並ニ重要資料ヲ
探知蒐集シ

宮城與徳

ハ主トシテ軍事方面ノ情報等ヲ探知蒐集シテ
居タヤウデアリマス
私ハ尾崎ノ命ニ依ッテ活動シテ居マシタ
前述ノ外人トノ連絡ニ就テハ詳ニシマセンガ主
トシテ

宮城與徳

ガ之ニ當ッテ居タヤウデアリマス
私ハ常ニ尾崎方ニ出入シテ居タノデ活動上ノ

連絡ハ其ノ際ニシテ居マシタガ宮城ト尾崎トモ主トシテ尾崎ノ家デ連絡シテ居タヤウデアリマス
尚ホ「コミンテルン」トノ連絡ハ前述ノ外人ガ主トシテ之ニ當ツテ居ルモノト推察シテ居マシタ

十四、問　被疑者ノ同團ニ於ケル諜報活動ノ概要ハ如何

答　私ハ昭和十一年七月末頃ヨリ約二ヶ月
尾崎秀實
ノ渡米中彼カラ紹介サレタ
宮城與徳
週一回乃至隔週一回何時モ夕方當時
瀧野川區西ヶ原番地不詳

Kノ三ノ乙

岡井方

ニ彼ヲ訪問シテ政治経済等ニ関スル情報ノ交換ヲ行ッテ居マシタガ其ノ間宮城ノ依頼ニ依ッテ

橋本欣五郎大佐

ノ提唱セル革新運動ノ活動方針組織方針等ヲ

「三六情報」

其ノ他ノ雑誌ノ記事ヲ綜合シテ纏メ彼ニ報告シマシタ

其ノ後今年末前述ノ如ク私ハ検挙サレタ為ニ活動ガ一時中絶シマシタガ昭和十三年六

日再ビ上京シ尾崎トノ連絡ヲ始メルニ及ンデ治
動ヲ復活シ次来今回ノ検挙迄ノ間ニ彼（尾崎）
ノ命ニ依ツテ昭和十五年二月頃第七十五議会
ヲ通ジテ現ハレタ既成政党解消運動ニ関スル
各政党ノ動向ヲ日刊新聞ノ記事ヲ資料トシ
テ分析綜合シテ纒メ其ノ直後数年前ヨリノ
革新運動ノ動向ヲ協調会発行ノ
「労働年鑑」
「社會政策時評」
及ビ
木下半治著
「日本國家主義運動史」

Kノ二ノ一〇

其ノ他日刊新聞記事ヲ分析綜合シテ調査シ
今年夏頃支那事變發生後ノ日本農村ノ經
濟狀態ヲ
「帝國農會報」
「日本農業新聞」
「産業組合時報」
等ノ記事ヲマルクス主義的立場ヨリ分析綜合
シテ調査シ何レモ資料トシテ尾崎ニ手交シマシタ
又昭和十四年夏歸鄕ニ際シテハ十六師團ノ派遣
先ノ調査ヲ本年八月歸鄕ニ際シテハ京都師團
ノ本年七月召集兵ノ滿洲出動ノ有無ノ調査
ヲ命セラレ前者ハ日刊新聞記事ヤ近隣者ニ

依リ後者ハ應召者ノ家族等ニ就テ探知シ前者ハ簡單ナルメモトシ後者ハ口頭ヲ以テ報告シマシタ尚後者ハ本年八月上旬帰京當時尾崎秀實カ旅行不在中デシタノデ先ヅ宮城與徳ニ報告シ尾崎ニハ彼カ帰京後報告シマシタ

又本年八月帰京直後細川嘉六方ニ於テ宇都師團ノ應召者（本年七月末ノ）全員カ出勤シタコトヲ聞知シタノデ早速ソノ旨ヲ宮城ニ報告シマシタ

尚私ハ平素ヨリ其ノ時々ノ政治問題経済問題等ニ関スル大衆ノ動向ニ意ヲ用ヒテ之ヲ尾崎ニ報告シテ居タ外尾崎ヲシテヨリ以上ニ諜報活

動ニ従事セシムルタメ昭和十四年以降彼ガ依頼セシ論文著書ノ原稿ノ代筆資料ノ作成等ヲシテ居リマシタ

以上ガ私ノ現在記憶ニアル尾崎一派ノ諜報團ニ於ケル私ノ活動ノ全部デアリマスガ其ノ詳細ハ追ッテ申上ゲマス

十五、問 右活動ニ於ケル報酬及ビ活動費用等資金関係ハ如何

答 特ニ活動ニ対スル報酬トシテ貰ッタ事ハアリマセンガ昭和十四年末頃迄ハ時々拾圓乃至貳拾圓位生活費ノ補助トシテ貰ヒマシタ

又代筆シタモノハ原稿料モ時々貰ヒマシタ

被疑者　水野成

右閲読セシメタルニ無相違旨申立署名

拇印シタリ

即日

於荻窪警察署

警視庁特別高等警察部

特高第一課

司法警察官

警部補　河野啓

司法警察吏

巡査　深瀬大郎

ヒノ二一二

第二回被疑者訊問調書

被疑者 水野 成

右者ニ對スル治安維持法並國防保安法違反被疑事件ニ付東京刑事地方裁判所検事玉澤光三郎ノ命令ニ因リ昭和十六年十二月廿二日荻窪警察署ニ於テ司法警察官警部補河野啓ハ司法警察吏巡査小川庸平立會ノ上右被疑者ニ對シ訊問スルコト左ノ如シ

一、問 被疑者ガ前回迄ニ陳述シタル事項ニ就テ訂正乃至補充スベキ点ハ無キヤ

答 アリマセン

二、問 被疑者ガ昭和六年五月上海デ鬼頭銀一カラ又昭和十一年一月東京デ尾崎秀實カラ紹介

水ノ三ノ一

サレタ外人ハ次ノ男カ

（此ノ時本職ヨリヒアルト、ゾルゲノ寫眞ヲ

呈示ス）

答　ソノ男ニ相違アリマセン鬼頭銀一カラ紹介

サレルトキ名前ヲ聞カサレマシタガ忘レマシタ

三　問　被疑者ヲ鬼頭銀一、尾崎秀實ハ何ト云ッテ

ソノ外人ニ紹介シタカ

答　鬼頭モ尾崎モ

友人ノ水野君ダ

ト云ッテ紹介シマシタ

四　問　被疑者ノ位記勲等　年金　恩給　身分　公

職関係ハ如何

答 何レモ關係アリマセン

五 問 兵役關係ハ如何

答 第一補充兵役陸軍歩兵デアリマス

六 問 被疑者ガ共産主義運動ニ從事シ始メタノハ何時頃カ

答 昭和五年秋頃デ當時ハ
上海市徐滙家紅橋路
東亜同文書院寄宿舎
ニ有リマシタガ昭和六年一月停學處分ヲ受ケテ
同市ノ
共同租界北四川路
横濱橋際
ノ某支那人方ニ轉ジマシタ

KIEI二

引ノ[illegible]ノニ

今年八月帰國シ
京都府綴喜郡八幡町ノ父ノ許ニ
居住シテ居マシタガ昭和七年十二月
兵庫県川辺郡伊丹町春日通ノ
細川吉茄六方
ニ轉ジ昭和九年二月頃再ビ父ノ許ニ帰リ、
マシタ
昭和十一年六月上京ト共ニ
世田谷区北沢二丁目百四十七番地
富士見荘
ニ間借リシ今年十末検挙サルル迄居住シテ居
リマシタ

昭和十三年二月ニ釈放サレ直ニ前述ノ父ノ許ニ
歸リマシタガ今年六月再ビ上京シ
世田谷區経堂町番地不詳
緑雲荘
ニ居住シ今年十月
神田區美土代町一丁目番地不詳
東京基督教青年会アパート
ニ轉ジ昭和十四年三月現住所ニ轉ジマシタ
昭和十三年六月再度上京後前述父ノ許ニ四
回数日乃至二十日位宛帰リ昭和十三年七月カ
ラ九月ニカケテ約二ヶ月長野縣下ノ
戸隠山

永ノ三ノ三

ニ病氣靜養ニ行ッテ居マシタノ

七、問 家族ノ状況ハ如何

答 家族ハ両親ト妹ガ二人アリマス

父ハ私ノ出生當時ハ京都府下ノ小学校訓導デ

シタガ後小学校長ヤ府視学ヲ勤メ現在ハ職ヲ

退イテ居リマス

長妹ハ現在結婚シ（夫ハ青年訓練所職

員）ナカラ國民学校ニ奉職シ次妹ハ父ノ許ニ

アッテ國民学校ニ奉職シテ居リマス

資産ハ別ニアリマセンガ父ノ恩給ト次妹ノ俸給

ニ依ッテ普通ノ生活ヲ致シテ居マス

家庭ハ至極圓満デシタノデ私ノ思想上ニ影

八、問　被疑者ガ共産主義ヲ信奉スルニ至ル迄ニ如何ナル左翼文献ヲ読ンダカ

答　一般的ナモノトシテハ

「ブハーリン著
「史的唯物論」

レーニン著
「帝國主義論」

マルクス著
「資本論」

河上肇著
「第二貧乏物語」

影響ヲ與ヘタ点ハアリマセン

ドノ三ノ一四

等ヲ讀ミ其ノ他特ニ支那革命ニ關スルモノトシテ
スターリン、
ブハーリン
等ノ支那革命論ヲ又支那ノ情勢並ニ支那ノ政
治經濟ニ關スル左翼的知識ヲ得ントシテ
中國共產黨員ノ
執筆シタ非合法文獻ヲ讀ミマシタ

九　問　被疑者ハコミンテルンノ存在並ニ其ノ目的ニ就テ
ノ認識ヲ何時頃何ニ依ッテ得タカ

答　私ハ昭和五年夏頃前述ノ非合法文獻ヲ讀
ンデ知リマシタ

十　問　コミンテルンノ目的ハ如何

答　「コミンテルン」ハ世界革命トプロレタリア独裁ヲ通ジテ全世界ニ共産主義社会ヲ實現セントスルコトヲ究極ノ目的トシ日本ニ對シテハ世界革命ノ一部トシテブルジョア民主々義革命トプロレタリア革命ヲ通ジテ天皇制及ビ私有財産制ヲ廃止シプロレタリア独裁ヲ経テ共産主義社会ノ實現ヲ圖ラントシテ居ルモノデアリマス

十一問　被疑者ハ日本共産党ノ存在並ニソノ目的等ヲ何時頃如何ナル方法ニ依ッテ知ッタカ

答　私ハ昭和四年四月渡支（上海）前ニ三、一五事件ノ新聞記事ニ依ッテ其ノ存在並ニソノ目的ノ概略ヲ知リマシタガ昭和五年中上海ニ於テ日本

ドノ三ノ五

ニ於テ発行サレテ居タ雑誌
「インターナショナル」
ニ発表サレタ「テーゼ」及ビ雑誌
「プロレタリア科学」
ニ発表サレタ
佐野学
鍋山貞親
等ノ公判闘争記ヲ読ンデソノ目的等ヲ正確
ニ知リマシタ

十二問　日本共産党ノ目的ハ如何

答　日本共産党ハ「コミンテルン」ノ日本支部トシテ
日本ニ於ケルブルジョア民主々義革命及プロレタリア

革命ヲ遂行シ天皇制私有財産制度ヲ廃棄シテプロレタリア独裁ニ依リ究極ノ目的トスル共産主義社会ノ實現ヲ圖ルモノデアリマス

十三問　被疑者ハ中國共産党ノ存在及ビ其ノ目的ヲ何時頃如何ナル方法ニ依ッテ知ッタカ

答　昭和四年東亜同文書院一年在学中講義ニアッタ中國近代政治史ノ授業ニ依ッテ知リマシタ

十四問　中國共産党ノ目的ハ如何

答　中國共産党ハ「コミンテルン」ノ中國支部デ当面ノ目的トシテハ土地革命ト反帝國主義闘争

ヲ行ヒ更ニ社会主義革命及ヒプロレタリア独裁ヲ経テ共産主義社会ノ實現ヲ圖ルコトヲ目的トスルモノデアリマス

十五問 被疑者ガ中國共産主義青年團ノ存在並ニ其ノ目的ヲ認識スルニ至ツタ時期並ニ経路ハ如何

答 前述ノ中國共産党ニ於ケルト時期方法同ジデアリマス

十六問 中國共産主義青年團ノ目的ハ如何

答 中國共産党ノ外廓團体トシテ其ノ指導ヲ受ケ中國共産党ノ目的實現ニ協力スルモノデアリマス

十七問 被疑者ハ「コミンテルン」及ヒ日本共産党ニ對シテ従来如何ナル態度ヲ執ツテ居タカ

答　私ハソレヲ支持シソノ目的遂行ニ資スベク前回
申シ述ベタヤウナ活動ヲシテ来マシタ

被疑者　水野成

右閲読セシメタル處無相違旨申立テ署名
拇印シタリ

即日

於荻窪警察署

警視廳特別高等警察部

特高第一課

司法警察官

警部補　河野啓

司法警察吏

巡査　小川庸平

第四回被疑者訊問調書

被疑者 水野成

右者ニ對スル治安維持法並國防保安法違反被疑事件ニ付東京刑事地方裁判所檢事玉澤光三郎ノ命令ニ因リ昭和十六年十二月十六日荻窪警察署ニ於テ司法警察官警部補河野啓ハ司法警察吏巡査小川庸平立會ノ上右被疑者ニ對シ訊問スルコト左ノ如シ

一 問 被疑者ハ活動當時ノ客觀情勢ヲ如何ニ認識シ且ツ如何ナルコトヲ斯ル情勢ニ對處スベキ當面ノ任務ト確信シテ活動シタカ其ノ概要ヲ述ベヨ

答 御訊ネノ件ニ就テ私ハ在支（上海）當時ト歸國後

ワノ四ノ一

ノ二期ニ分ケテ申シ上ゲマス
在支當時私ガ共産主義理論ヲ研究シ始メタノハ
昭和五年春頃カラテスガ當時ハ其ノ前年秋カラ
始マツタ世界恐慌ガ益々激烈トナリ特ニ支那ハ
他ノ先進資本主義國ニ於ケル恐慌ノ負擔ヲ轉嫁
サレテ半封建的半植民地社会トシテノ從來ノ状
態ハ一層悲惨ナモノトナツテ居マシタ　其ノ結果一九二五
年ヨリ仝二十七年ニ至ル支那革命以後一時静マ
ツテ居タ革命運動ガ目醒シク復活シコミンテルン
及中國共産党ノ指導スル革命運動ガ全支ニ波
波及シ特ニ支那内地ノソヴイエツト運動ハ世界ノ
注視ノ的トナル程ニ発展シテ居マシタ

然ルニ當時支那ノ統一政府タリシ蔣介石ノ南京政府ハ第一次國共合作當時ノ革命的性質ヲ失ッテ對外的ニハ帝國主義勢力ト妥協シ國内的ニハ支那ノ民族資本家及ビ地主ト結合シタ政權ト堕シ從ッテ支那民衆ヲ救濟スル能力ヲ持タズ只中國共産党ノ指導スル革命運動ノ彈压ニ狂奔シテ居ルバカリデアリマシタ

右ノ様ナ客觀情勢下ニ於テ私ハ中國共産党ヲ擴大保持シツツ當面ノ目標タル反帝國主義鬪争ヲ益々激化セシメテ中國カラ英米及ビ日本ノ勢力ヲ撤退セシメ支那ヲ半封建的半植民地状態カラ脱セシムルト共ニ帝國主義國ニ於ケル

ヲノ四ノ三ノ

革命ノ情勢ヲ激化セシメ以テ「コミンテルン」ノ根本目標タル世界革命ノ實現ニ貢献スルコトヲ當面ノ任務ト信シ其ノコトガ日本共産黨ノ目的達成ニモ貢献スル所以デアルト考ヘテ中國共産主義青年團ニ加入シ又鬼頭銀一ノ一派ノ諜報團ニ關與シテ活動シテ居リマシタ
昭和六年八月歸國後満洲事変ヲ契機トシテ日本ノ政治情勢ハ相當緊張シ國内デハ五、一五事件ニ二六事件ガ起リ對外的ニハ日支關係日ソ關係等ガ非常ニ切迫シテコノ間ニ軍部ヲ中心トスル日本ノファシズムガ急激ニ擡頭シ凡ユル政策ヲ決定スル中心勢力トナリ特ニ日本共産党ノ勢力ヲ弾圧シテ殆ンド壊滅ノ状態ニ陥ラシメ為ニ日本共産党ハ殆ンド大衆ヲ指導スル力ヲ持タズ内部闘争ノ為ニ極度ニ混乱ニ陥ッテシマヒマシタ

昭和十二年七月支那事変勃発後ハ軍事ファシズムノ潮流ハ益々決定的ナモノトナルト同時ニ金融資本ノ勢力トモ密接ニ結ビ付キ對外的ニハ支那大陸ノ侵略ニ依ッテ極東ヲ中心トスル英、米及ビソ聯邦ノ勢力ト激シク衝突シ国内的ニハ戰時統制政策ヲ遂行シ日本共産党及ビ一切ノ階級運動ニ對スル弾圧ヲ強化シテ来マシタ

満洲事変特ニ支那事変ニ伴フ日本ノ大陸

Kノ四ノ三

ガノ[illegible]

進出ニ依リテ我國ハ世界ノ政治ノ動キヲ決定スル一中心勢力トナリ又ソ聯邦ニ對シテハソ満國境ヘ兵力ヲ増強シテ其ノ存在ヲ脅カスニ至リマシタ斯様ナ情勢下ニ於テ昭和十年末大阪ニ於テ日本共産黨ノ再建運動ニ從事シテ居タ和田四三四ト親交ヲ結ブニ至リマシタガ私ハ強力ナ黨ノ組織ヲ再建シテ大衆ノ指導ニ當ルコトガ刻下ニ於ケル急務ト考ヘテソノ運動ヲ援助シ又昭和十一年六月尾崎秀實ヨリ諜報活動ノ援助ヲ求メラルヽヤ日本ガ對外的ニ如何ニ動キ如何ナル對策ヲ執ルカ又之等ノ對外動向ヲ決定スル國内ノ政治經濟状態ヲコミンテルンノ

ニ諜報シテ「コミンテルン」ノ世界政策決定ニ
資セシメ次デソ聯邦並ニ支那革命ヲ擁護
スルコトガ重要任務デアリソノコトガ日本共産党
ノ目的達成ニモ貢献スル所以デアルト信ジテ
協力スルニ至リマシタ

二、問　被疑者ガ中國共産主義青年團ニ加入スルニ至ツ
タ經済並ニソノ活動ノ概要ハ如何

答　昭和五年十月頃既述ノ安斎庫治ヨリ勧誘サ
レテ加入シ以後昭和六年八月帰國スル迄既述
ノ如キ活動ヲシマシタ

三、問　被疑者ハ東亜同文書院内ニ於ケル共産主義
宣傳ハ如何ナル方法ニ依ツテ為シタカ

八ノ四ノ四

答

昭和五年十月下旬頃カラ今年十二月末検挙サレル迄ノ間ハ

安斎庫治

カラ昭和六年一月無期停学処分ヲ受ケタ後帰国スル迄ノ間ハ

楊某

カラ渡サレタ

「紅旗」（中国共産党機関紙旬刊）

「布爾塞維克」（中国共産党機関紙二ケ月ニ一回位発行）

等ヲ発行ノ都度毎回五部位宛同級生

西巻隆

中西功
点津良勝
高原成
外一名

等ニ配布シテ行ヒマシタ

四、問　被疑者カ募集シタ中國ソヴエット援助資金ノ額及ヒ其ノ時期等ハ如何

答　昭和六年七月頃前述ノ同級生カラ貳圓宛集メ計拾圓ヲ前述ノ楊某ニ手渡シマシタ

五、問　被疑者カ鬼頭一派ノ諜報團ニ於テ為シタル諜

紙ノ四ノ五

報活動ノ内容ハ如何

答　既ニ申シ上ゲマシタ通リデアリマスガ　ソノ具體的
内容ハ記憶アリマセン

被疑者　水野成

右閲讀セシメタル處無相違旨申立テ署名
拇印シタリ

即日

於荻窪警察署

警視廳特別高等警察部
特高第二課
司法警察官
警部補　河野啓

司法警察吏
巡査　小川庸平

第五回被疑者訊問調書

被疑者　水野成

右者ニ對スル治安維持法並国防保安法違反被疑事件ニ付東京刑事地方裁判所検事玉沢光三郎ノ命令ニ因リ昭和十六年十二月十七日荻窪警察署ニ於テ司法警察官警部補河野啓ハ司法警察吏巡査酒井保立会ノ上右被疑者ニ對シ訊問スルコト左ノ如シ

一、問　被疑者カ和田四三四等ノ日本共産党再建運動ニ對シテ援助ヲ与ヘタル経緯及ビソノ概要ハ如何

答　私カ大原社会問題研究所ニ在勤中昭和十一年十二月頃　Kノ[illegible]

〇二・一

和田四三四

モ今研究所ニ勤務スル様ニナリ初メテ彼ヲ知リマシタガ、交遊関係ヲ續ケテ居ル中ニ間モ無ク彼ガ共産主義者デアリ日本共産党ノ再建運動ニ従事シテ居ルコトヲ察知シマシタガ、ソノ運動ヲ援助スベク昭和十一年五月末上京ノ為辞職スル迄ノ間所内ニ於テ随時會合シ彼ノ質問ニ應ヘテ支那問題（蒋介石政権ノ動向及ビ國共関係等）及ビ國際情勢等ニ関スル説明ヲ為シ又當時大阪商科大学助教授デアッタ

西畢基一

ヲ通ジテ知ッタ

宮木某が私ニ對シテ大阪地方ニ於ケル日本共産黨再建運動ノ状態ヲ知ツテ居ル人ニ紹介方ヲ依頼シマシタノデ昭和十一年四月頃研究所近クノ某飲食店デ彼ヲ和田ニ紹介シマシタ

二 問 被疑者ガ宮城與徳ノ命ニヨリ橋本欣五郎大佐ノ提唱セル革新運動ニ關スル調査ヲ爲スニ至リタル經緯及ビ其ノ概要ハ如何

答 昭和十一年八月初宮城與徳ガ彼ノ同居先ニ訪問シタ際彼カラ當時注目ノ的トナツテ居タ橋本欣五郎大佐ノ運動ニ就テ其ノ方針及見透シ等ニ關シテ調査ニ方ヲ依頼サレマシタノデ之ヲ承

八ノ五ム三

諸ン既述ノ如キ資料ニ依ッテ取纏メ約一週間後彼ヲ訪問シタ際口頭デ報告シマシタ
其ノ内容ハ
二、二六事件後日本ノ革新運動ハ従来ノ如キ非合法的運動カラ合法的大衆的ナ運動ニ轉ジテ居ル コノ新シイ方向ノ中心ヲ為スノガ橋本大佐ノ運動デアッテ分散シタ革新運動ハ今後次第ニ今大佐ノ下ニ組織化サレルデアラウ今大佐ノ方針ハ大衆運動トシテノ革新運動デアッテ工場交通機関及ビ農村等ノ勤労青年大衆ノ組織ヲ目標トシテ進ムヤウニ思ハレル
ト云ウ主旨デアリマシタ

三、問

答

被疑者カ昭和十四年夏帰郷ノ際第十六師團ノ派遣先ノ調査ヲ為スニ至リタル経緯及ヒ其ノ概要ハ如何

私カ昭和十四年八月初病氣静養ノ為帰郷スル際尾崎秀實ニ其ノ旨話シマシタ處彼ヨリ十六師團ノ派遣先カ不明デアルカラソレヲ調査シテ来テ呉レ

トノ依頼カアリマシタノデ帰郷後訪ネテ来タ近隣ノ人々及ヒ日刊新聞（大阪朝日新聞京都版）ニ依ッテ調査シ其ノ派遣先ハ中化カ安慶ニアルコトヲ知リ今年八月下旬帰郷シテ

目黒區上目黒五丁目二四三五番地

以 五 八 三

ノ自宅ニ尾崎氏ヲ訪ネ新聞記事ニ依リテ判明シタ四、五ノ部隊名及ビ安慶ヲ中心トスル其ノ出動先ヲメモニ認メテ彼ニ手交シタル等ノ部隊ガ聯隊単位ナルモノト思ハルル旨ヲ伝ヘマシタ

四 問 被疑者ガ政党解消運動ニ対スル右政党ノ動向調査ヲ為スニ至ッタ経緯並ニ其ノ概要ハ如何

答 昭和十五年三月初頃赤坂区溜池町三十一番地山王ビル内

支那研究室

ニ於テ尾崎秀實ヨリ

今ヤ議会ニ現ハレテ居ル既成政党ノ動向及ビ各政党ノ主要人物ノ動キニ関シ新聞記事ニ依

ツテ判明スル程度デ調査シテ呉レ
トノ依頼ガアリマシタノデ
「朝日新聞」
「国民新聞」
ノ記事ヲ整理シ約半日後文書トシテ彼ノ自宅
デ手交シマシタ
其ノ内容ハ
支那事変下ノ既成議会勢力ハ従来ノ儘
デハ其ノ存在ヲ失ハントシテ居リ彼等ハソレヲ
免カルル為ニ自ラ政党統一運動ト既成政党
解消運動ヲ行ツテ居ル
前者ハ主トシテ従来ノ政友会中島派ノ会ジ

八ノ五八四

旭山派ハ民政党ノ主流社会大衆党ノ一部ヨリ成リ後者ハ前者ニ比シテ一層革新的立場ニ立チ軍部ニモ接近シテ居リ主トシテ政友会久原派小会派社大党ノ一部ヨリ成ツテ居ルトノ主旨ノ下ニ各陣営ノ主要人物会合ノ内容決議等ヲ取リ纏メタモノデアリマス

五 問 被疑者ガ数年前ヨリノ革新運動ノ動向ノ調査ヲ為スニ至ツタ経緯並ニ其ノ概要ハ如何

答 前述ノ報告（既成政党解消運動ニ関スル各政党ノ動向調査）ヲ為シタ直後尾崎秀實ヨリ前述支那研究室ニ於テ
主要革新団体ニ就テ其ノ主要人物活動方

針数年来ノ主要ナル変遷等ニ関シテ
調査シテ呉レ
ト依頼サレマシタノデ私ハ既述ノ如キ資料ニ依
リ調査シ昭和十五年四月中旬頃文書トシテ
彼ノ自宅デ手交シマシタ、
ソノ内容ハ
日本ノ革新運動ハ旧来ノ型ノ非大衆的運
動ト新シイ型ノ合法的大衆運動トニ大
別サレル
トノ主旨ニ基イテ
黒龍会
建国会

八ノ五ノ五

東方会
大日本青年党
社会大衆党
其他右翼的労働組合及ビ農民組合等ニ就キ其ノ各ノ活動方針主要人物勢力下ノ諸組織及ビ数年来ノ主要ナル変遷等ヲ簡単ナル箇條書ニシタモノデアリマス

六問　ソノ調査資料ノ一部トシテ使用シタ労働年鑑ハ何年度ノモノカ

答　昭和十三、十四、十五年度ノモノデアリマシテ支那研究室デ使用シ其ノ儘持チ帰リマセンデシタカラ現在ハ会所ニアル筈デス

七問　ソノ調査資料ノ一部トシテ使用シタル「社会政策
時報」ハコレカ
（コノ時小職押収ニ係ル證第二五四号「社会政策
時報」壹括ヲ呈示ス）
答　其ノ中デ調査當時迄ニ発行サレタモノデ該當
記事ノアルモノハ参考トシテ使用シマシタ
八問　被疑者ガ支那事変発生後ニ於ケル日本農村ノ
経済状態ヲ調査スルニ当ツタ経緯及ビ其ノ概
要ハ如何
答　昭和十五年七月上旬頃尾崎秀実方ニ於テ彼ヨリ
支那事変発生後ハ農村経済ノ状態ヲ纏メテ
見テ呉レ

四ノ五ノ六

ト依頼ガアリマシタ
ノデ既述ノ資料ニ依リ調査シ文書トシテ今月末
頃尾崎方デ仝人ニ手交シマシタ
ノ賃金状態
農産物繭ノ価格労賃ノ騰貴等ニ依ツテ
農村ハ或ル程度迄豊ニナツテ居ルガ ソレハ主
ニ農村上層部ニ限ラレ一方肥料日用品等ノ
価格モ騰貴シテ居ルカラ賃金状態ヨリ見テ
モ農民生活ハ一般ニ良好トナツテ居ナイ
マ生産ノ手段ノ需給
一切ノ物資ガ軍事生産ニ集中シテ居ル結果、
農業ニ必要ナル農具、肥料、及ビ畜力等ノ欠、

乏カ甚ダシイ

3. 労働力ノ状態

農村人口ハ應召ト都市ヘノ移動ノ為ニ農業労働力ノ減少カ甚ダシク而モソレ等カ農業ノ主要擔當者デアル青壮年者デアル為ニ農業生活ニ深刻ナ影響ヲ興ヘテ居ル

4. 結論

生産手段ト労働力ノ缺乏カ益々深刻化スル為メ農業生産ハ減退シ戦時下ニ食料飢饉ヲ生ジテ居ルソノ為限ラレタ資材ト労働力デ増産ヲ圖ル為新シイ現象トシテ農業ノ機械化共同経営土地問題ノ解決等カ主張

フ、三七

サレテ居ルカ其ノ急速ナ解決ハ極メテ困難デ
アル
トノ主旨ノモノデアリマス

九 問 ソノ資料ニ一部トシテ使用シタ「帝國農會報」ハ
コレカ
(コノ時小職押收ニ係ル證第二五五號「帝國農會
報」壹冊ヲ示ス)

答 昭和十四五年度ノモノデ現品ハコレデアリマス
(コノ時被疑者ハ傍ニアリタル押收物中ノ證第
七〇號帝國農會編「農業年鑑」昭和十四五
年版ヲ指示ス)

十 問 ソノ調査ニ當ツテ被疑者ハ既述以外ノ資料ヲ入

使用シナカツタカ

答　現物ヲ見テ憶ヒ起シマシタカソコニアル
雑誌「農政」（證第二五六號）
ノ其ノ頃迄ニ発表サレタモノ及ビ
帝國農会編
「時局下農業経営及び農家経済の動向」
（證第二五七號）
ヲ使用シマシタ

被疑者　水野成

右閲讀セシメタル處無相違旨申立テ署名
梅印シタリ

即日

於荻窪警察署

警視廳特別高等警察部

特高第一課

司法警察官

警部補　河野　啓

司法警察吏

巡査　酒井　保

八・五・八

第六回被疑者訊問調書

被疑者　水野成

右者ニ対スル治安維持法並国防保安法違反被疑事件ニ付
東京刑事地方裁判所検事玉沢光三郎ノ命令
ニ因リ昭和十六年十二月十八日荻窪警察署ニ於テ
司法警察官警部補河野啓ハ司法警察吏巡査
酒井保立会ノ上右被疑者ニ対シ訊問スルコト左ノ如シ

一、問　被疑者ガ本年夏帰郷ニ際シ京都師団ノ
有無ノ調査ヲ為スニ至リタル経緯並ニ其ノ
概要ハ如何

答、昭和十六年七月上旬頃、私ハ静養旁々帰郷
スル予定デシタノデ其ノ旨ヲ尾崎秀実ニ話シ
ドノヒハ一

前述ノ京都師團滿洲移駐ノ調査ハ不必要カ否カヲ訊ネマシタ處彼ハ

今度ノ召集兵（本年七月末ノ動員ニ依ル應召兵）ガ何處ニ動イテ居ルカヲ調ベテ來テ呉レ

ト依頼サレマシタノデ歸郷後近所ノ應召兵ノ出動ノ有無及ビ其ノ出動先ヲ訊ネマスト何レモ防寒裝具ヲ着ケテ出征シタトノ事デシタノデ應召兵ハ滿洲ヘ出動シタモノナルコトヲ察知シマシタ、安貿家ニ四五日滞在シテ今月十七、八日頃歸京シ早速会ツテ報告スベク尾崎ニ電話シテ居ルカヲ訊ネマスト信州ヘ

避暑中トノコトデアリマシタ其ノ翌日細川嘉
六ヲ訊ネル為ニ小田急電車ニ乗リマシタ處
経堂駅附近デ今電車ニ
宮城~~徳~~徳
ガ偶然乗リ合ハシテ居ルコトヲ発見シ電車
内デハ話ヲスル暇ガ無イノデ私ノ下車駅デアル
千歳船橋駅デ宮城ニモ下車シテ貰ヒ今駅附
近ヲ歩キナガラ
尾崎氏ガ不在デアルカラ貴方ニ傳ヘテ置
クガ京都師団ノ應召兵ハ既ニ満洲ニ
移駐シタ
トノ旨ヲ話シマシタ

訳ノ六ノ二

スルト彼ハ
京都師團ハ滿洲ヘ移駐スル予定ニナツテ
居リ今師團ガ滿洲ヘ移駐シタカ否カハ
日本ガ對ソ戰爭ヲ實際ニ遂行スルカ
否カヲ判定スルニ重要ナル參考トナル
旨ヲ語リマシタ

二、問 コノ調査ハ宮城與德カラ命ゼラレタノデハナカ
ツタカ

答 尾崎カラデアリマシタ

三、問 尾崎カラ特科隊並ニ京都地方ノ農村事情
等ノ調査ヲモ依頼サレタノデハナカツタノカ

答 ソウデハアリマセンガ前述ノ宮城ト会ツタ際私ハ

ノ郷里ニテモ多数ノ働キ手ガ召集サレタノデ
農家デハ非常ニ困ツテ居ルコト
又食料ノ配給等モ非常ニ窮迫シテ居ルコト
等ヲ宮城ニ話シマシタソノ際彼ハ前述ノ外ニ
京都師団管轄下ノ特科隊ガ既ニ満洲ニ移
駐シテ居ル旨ヲ私ニ話シマシタ

四

問　被疑者ガ本年八月細川嘉六方ニ於テ京都
師団ノ応召兵ノ全員ガ出動シタコトヲ聞知
シタ経緯及ビ其ノ概要ハ如何

答　前述ノ宮城ト話シタ後
世田谷区世田谷五ノ二八三三番地
細川嘉六

ヲ訪問シタ際ノ会ノ人カラ
今度召集サレタノハ京都ノ知人ノ息子カラノ
来信ニ依ルト京都師団ノ召集兵ハ全部満
洲ニ出動シタトノコトダ
ト聞カサレマシタノデ早速之レヲ報告セネバ
ナラヌト考ヘ一尾崎秀實ハ未ダ帰京シテ居
ナカッタノデ翌日尾崎ノ妻カラ宮城與徳ノ
住所ヲ尋ネ其ノ翌日宮城ヲ
麻布區竜土町番地不詳
岡井安正方
ニ訪ネテ
京都師団ノ召集兵ハ全部間違ヒナク

満洲ニ移駐シタ旨ヲ報告シマシタ

五、問 被疑者ガ為シタル尾崎秀實ノ助手的活動ノ
概要ハ如何

答 私ハ昭和十四年冬頃ニ創元社カラ発行サレタ
「アジア問題講座」
中ノ
「國民党ノ経済建設」
(四百字原稿用紙三十枚)
及ビ昭和十五年夏頃前同出版社カラ発行サレタ
前ノ講座中ノ
「支那資本主義発達史」(四百字詰原稿
用紙三十枚)

ヲ呈シ且

ノ二篇ノ尾崎秀實ニ依頼サレテ代筆シ又
昭和十四年秋岩波書店ヨリ出版サレタ尾崎ノ
著書
「現代支那論」
中ノ
「支那社会の本質」（約二、三十頁）
ノ頃及ビ昭和十五年春生活社ヨリ出版サレタ
同人著書
「支那社会経済論」
中ノ
「支那の農村経済」（約三、四十頁）
ノ頃ヲ代筆シ且著書ノ全般ニ亘ッテ推敲討

正致シマシタ
又其ノ間
帝大新聞 レ
改造 レ
中央公論 レ
等ニ発表サレタ彼ノ論文ニ就テ資料ノ蒐集等
ヲ各一回位宛致シマシタ

六、問　被疑者ノ尾崎秀實一派ノ諜報團ニ於ケル活動
ガ本年度ニ入リテ不活発ニナッタ理由ハ如何

答　私ハ昨年秋頃カラ尾崎秀実カラノ依頼ガ無
クナッタコトヲ彼ガ自分ヲ諜報活動カラ退カシ
ムル意デアルト解シ積極的ニ彼ニ接近シナイ

以ノ六、〆、五

様ニシテ居タ為デアリマシテ命セラレヽバ積極
的ニヤリ度イ気持ハ持ッテ居マシタ

七、問　被疑者ガ尾崎秀實カラ受取ッタ金額ノ
概算ハ如何

答　生活費ノ補助トシテ貰ッタ金額ハ上海在住
当時ヲ含メテモ大体百圓位デアリ原稿料
トシテ貰ッタモノガ約三百圓位デアリマス

八、問　現在ノ心境並ニ将来ノ方針ハ如何

答　過去十年ノ長キニ亘ッテノ私ノ誤ッタ思想カラ
度々ノ手数ヲカケ殊ニコノ非常時局ニ際シテ
今回ノヤウナ罪ヲ犯シタコトヲ日本國民トシテ
誠ニ恥シク思ッテ居マス　将来ニ再ビ社会ニ出ル

機会デモアリマシタナラバ社会的ニモ個人的ニモ立
派ニ更生シテ従来ノ生活ノ償ヒヲシ度ケレバナラヌト
決心シテ居リマス

九、問　此ノ外何カ申立テルコトハ無イカ

答　別ニアリマセン

被疑者　水野成

右閲讀セシメタル處無相違旨申立テ署名
梅印セシメタリ

即日

於荻窪警察署

警視庁特別高等警察部

特高第二課

水ノ六ノ六

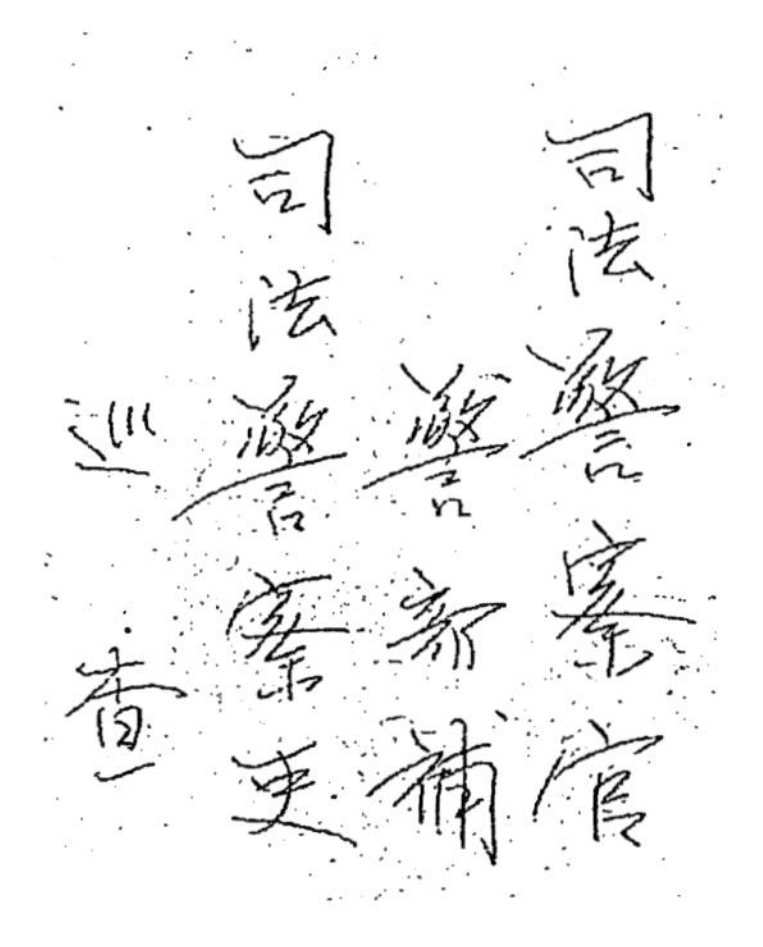
司法警察官
警部補
司法警察員
巡査

河野　啓
酒井　保

第七回被疑者訊問調書

被疑者 水野成

右者ニ対スル治安維持法並国防保安法違反被疑事件ニ付東京刑事地方裁判所検事玉沢光三郎ノ命令ニ因リ昭和十七年一月十三日荻窪警察署ニ於テ司法警察官警部補河野啓ハ司法警察吏巡査酒井保立会ノ上右被疑者ニ対シ訊問スルコト左ノ如シ

一、問 被疑者ハ平素ヨリ政治経済問題等ニ関スル大衆ノ動向ニ注意シ之ヲ尾崎秀実ニ報告シ居タトノコトナルガ其ノ概要ハ如何

答 私ハ尾崎秀実ガ昭和十四年二月頃第一次近衛内閣ノ嘱託ヲ辞シ満鉄調査部ノ嘱託

Kノ七ノ一

トナツタ頃カラ最近迄ノ間ニ於テ彼ツレテ
國内事情ノ正シイ判断ニ資セシメル目的デ平素
ヨリ特ニ政治経済問題ニ對スル一般民衆ノ動向
ニ注意シ之ヲ
支那研究室
及ビ彼ノ勤メテ居ル
満鉄東京支社
等ニ於テ面接ノ際等ニ報告シテ居リマシタ
其ノ一々ノ内容ニ就テハ記憶シテ居リマセンガ
現在記憶スルモノハ次ノ通リデアリマス
即チ
ノ昭和十五年二月頃英米問題ガ盛ンニ論ゼラレテ

居ル頃
支那事変ノ長期化スルニツレテ英米トノ対立ガ激化シテ来タガ一般民衆ハコレ以上戦争ノ拡大長期化スルコトヲ欲シテ居ラズ従ツテ英米問題ニ対シテモ初期ニ見ラレタヤウナ昂奮ハ見ラレズ寧ロ英米ヲ通ジテ重慶政府トノ和平ノ結バレルコトヲ希望シテ居ル
2. 昭和十五年秋頃ハ米穀問題ニ就テ米ノ生産高ノ減少ヤ配給機構ノ不完全ニ依ツテ米ノ消費者タル一般民衆ハ非常ナ不安ニ陥ツテ居ル旨ヲ述ベ
3. 昭和十六年二月頃ハ日常品ノ配給問題ガ、レ

以ノ七ノ二

キリニ論セラレタ當時配給機構全體ノ不整備ノタメニ日常ノ生活必需品ガ特殊ナ部分ニ向ツテ闇相場デ流レテ居ル ソノ為ニ一般消費者ニ對シテハ本来渡ルヘキ筈ノ量ガ渡ラナイ實状デアル トノ旨ヲ述ヘ

4. 昭和十六年四月頃大政翼賛会ノ改組當時一般民衆ハ都市農村ヲ問ハズ翼賛会運動ノ出発ニ非常ニ期待シタガ今回ノ改組ニ依ツテ翼賛会ハ其ノ方向ヲ私権以前ノ精神總動員運動ノ如キ存在トナツタ為メ一般民衆ノ期待ハ全ク裏切ラレソノ不満ハ

相當ニ烈シイ実状デアル旨ヲ述ベ

タ、又ソノ頃、當時ノ近衛内閣ニ對スル一般民衆ノ動向ニ就テ一般民衆ガ初期ノ近衛内閣ニ對シテ持ツテ居タ信頼ノ念ハ漸次薄ライデ来テ居リ近衛内閣ニ依ツテ外交問題及ビ國内問題ガ革新サレルト云フヤウナ民衆ノ期待ハ殆ンド無クナツタ　トノ旨ヲ述ベマシタ

六 問 被疑者ハ一般民衆ノ動向ヲ如何ナル方法ニ依ツテ察知シテ居タカ

答 私ハ平素カラ一般ノ商店、飲食店或ハ浴場等ニ於テ一般ノ人ト会話シ或ハ客ノ話等ニ依ツテ察知シテ居リマシタ

肌ノ七ノ三

三、問　被疑者ガ昭和十六年八月宮城與徳ニ報告シタ
京都地方ニ於ケル農村事情、食料ノ配給状況
等ハ如何ニシテ知リ得タノカ

答　家人ヤ近隣者ノ話ニ依ツテ知リマシタ

四、問　外ニ何カ申立テルコトハ無イカ

答　何モアリマセン

被疑者　水野　成

右読聞セシメタル処無相違旨申立テ署名
拇印シタリ

即日

於荻窪警察署

警視庁特別高等警察部

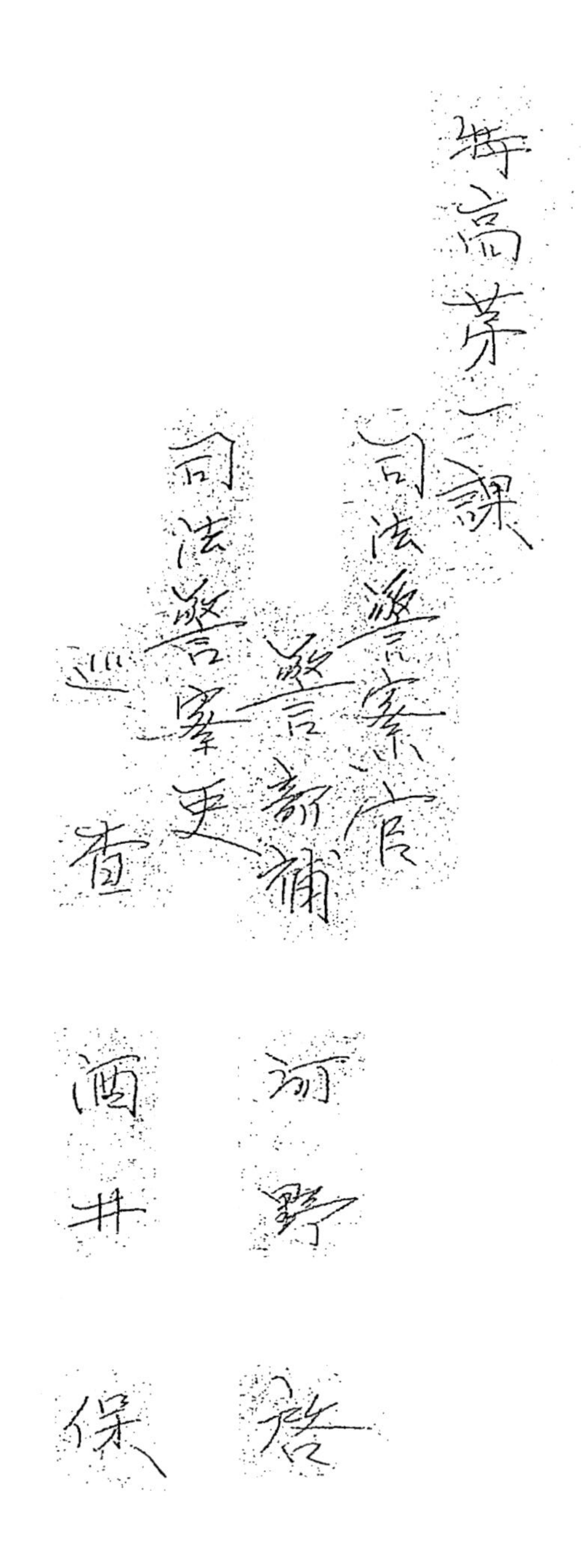

特高第一課

司法警察官 警部補 河野 啓

司法警察吏 巡査 酒井 保

編集・解説

加藤哲郎（かとう・てつろう）

一九四七年生まれ。一橋大学名誉教授、博士（法学）

主な編著書等　『七三一部隊と戦後日本　隠蔽と覚醒の情報戦』（花伝社、二〇一八年）、『「飽食した悪魔」の戦後　七三一部隊と二木秀雄『政界ジープ』』（花伝社、二〇一七年）、『CIA日本人ファイル　米国国立公文書館機密解除資料』全一二巻（編集・解説、現代史料出版、二〇一四年）、『ゾルゲ事件　覆された神話』（平凡社新書、二〇一四年）、『日本の社会主義　原爆反対・原発推進の論理』（岩波書店、二〇一三年）、『ワイマール期ベルリンの日本人　洋行知識人の反帝ネットワーク』（同、二〇〇八年）ほか多数。HP「加藤哲郎のネチズン・カレッジ」主宰、http://netizen.html.xdomain.jp/home.html

ゾルゲ事件史料集成
太田耐造関係文書
「ゾルゲ事件」史料2
第2回配本　第3巻
編集・解説　加藤　哲郎
2019年11月25日　初版第一刷発行
発行者　小林淳子
発行所　不二出版　株式会社
〒112-0005
東京都文京区水道2-10-10
電話　03（5981）6704
http://www.fujishuppan.co.jp
組版／昴印刷　印刷／富士リプロ　製本／青木製本
乱丁・落丁はお取り替えいたします。

第2回配本・全3巻セット　揃定価（揃本体75,000円＋税）
ISBN978-4-8350-8301-8
第3巻　ISBN978-4-8350-8302-5
2019 Printed in Japan